下流社会

新たな階層集団の出現

三浦展

JN270061

光文社新書

はじめに

あなたは「下流」か？

まず、あなたの「下流度」チェックをしよう。次の文章で、半分以上当てはまるものがあれば、あなたはかなり「下流的」である。

□　1　年収が年齢の10倍未満だ

□　2　その日その日を気楽に生きたいと思う

□　3　自分らしく生きるのがよいと思う

□　4　好きなことだけして生きたい

□　5　面倒くさがり、だらしない、出不精

□ 6　一人でいるのが好きだ
□ 7　地味で目立たない性格だ
□ 8　ファッションは自分流である
□ 9　食べることが面倒くさいと思うことがある
□ 10　お菓子やファーストフードをよく食べる
□ 11　一日中家でテレビゲームやインターネットをして過ごすことがよくある
□ 12　未婚である（男性で33歳以上、女性で30歳以上の方）

階層格差が広がっているという。所得格差が広がり、そのために学力格差が広がり、結果、階層格差が固定化し、流動性を失っている。あるいは「希望格差」も拡大している。こうした説が、ここ数年、多数発表された。

それは、日本が今までのような「中流社会」から「下流社会」に向かうということである。もちろん「下流社会」とは私の造語だ。

「中流化」から「下流化」へ

中流社会は、戦後の日本では、１９５０年代後半から１９７０年代前半にかけての高度経済成長期に発展した。あとで詳しく述べるが、50年代までの日本は、わずかな「上」（＝働かなくても豊かなお金持ち、資本家、地主など）と、たくさんの「下」（＝働いても働いても豊かになれない貧乏人）からなる「階級社会」だった。

それが高度成長によって、いわゆる「新中間層」という階層が増加した。つまり、主としてサラリーマンであり、財産は特に持たないが、所得が毎年増えて生活水準が向上していくという期待を持つことができる「中」の人々が増えたのだ。特に「下」から「中」に上昇する人が増えた。つまり「下」が「中流化」したのである。

だが、いま階層格差が広がっているということは、この「中」が減って、「上」と「下」に二極化しているということである。もちろん、二極化といっても「中」から「上」に上昇する人は少なく、「下」に下降する人は多い。つまり「中」が「下流化」しているのである。

もちろんここで言う「下流」は、「下層」ではない。「下層」というと、これはもう本当に食うや食わずの困窮生活をしている人というイメージがする。たしかにそれに近い困窮世帯も増えているらしい。しかし本書が取り扱う「下流」は、基本的には「中の下」である。食うや食わずとは無縁の生活をしている。しかしやはり「中流」に比べれば何かが足りない。

たとえば1960年代にテレビがない家庭は中流とは言い難かっただろう。しかし現在は下流でもDVDプレイヤーもパソコンも持っている。単にものの所有という点から見ると下流が絶対的に貧しいわけではない。では「下流」には何が足りないのか。それは意欲である。中流であることに対する意欲のない人、そして中流から降りる人、あるいは落ちる人、それが「下流」だ。

なお本書では「上流」という言葉も使うが、これもあくまで「中の上」くらいの意味であり、決して金利だけで暮らすことができる大金持ちのことを指しているのではない。

意欲、能力が低いのが「下流」

では、「下流社会」とはどんな社会か。その具体像を描くには、国民の生活の詳細を知る必要がある。特に、消費や生活のスタイルを知ることが必要だ。

が、残念ながら、経済学者や社会学者による階層研究には消費論がない。そこで私は、2004年11月と2005年5月と6月に行った独自の調査で、階層意識別の消費行動の違いを分析することにした。本書の第3章以降では、その調査結果について概略を紹介する。そこから見えてくるのは、いわゆる団塊ジュニア世代と呼ばれる現在の30代前半を中心とする若い世代における「下流化」傾向である。

この世代は人口が多いので、彼らがどのように動くかが、社会や消費の趨勢《すうせい》に影響を与えやすい。ところが後述する私の調査によれば、この世代の、特に男性で、生活水準が「中の下」または「下」だという者が多いのである。

階層意識は単に所得や資産だけでなく、学歴、職業などによって規定される。しかも自分だけでなく親の所得・資産、学歴、職業なども反映した意識である。しかも興味深いことに、階層意識は、その人の性格、価値観、趣味、幸福感、家族像などとも深く関係していることが調査結果から明らかになっている。

冒頭の「下流度チェック」も、その調査の結果などを踏まえたものである。その選択肢を見ればわかるように、「下流」とは、単に所得が低いということではない。コミュニケーション能力、生活能力、働く意欲、学ぶ意欲、消費意欲、つまり総じて人生への意欲が低いのである。その結果として所得が上がらず、未婚のままである確率も高い。そして彼らの中には、だらだら歩き、だらだら生きている者も少なくない。その方が楽だからだ。

団塊ジュニアは日本の社会が中流社会になってから生まれた初めての世代だ。だから団塊ジュニア以降の世代は著しい貧富の差を見たことがないまま育った。郊外の新興住宅地では、同じような年格好の、同じような年収の人が、同じような家に住み、同じような車に乗っている。みんながそこそこ豊かだ。それが当たり前なのだ。だから、「下」から「中」へ上昇しようという意欲が根本的に低い。「中の中」から「中の上へ」という上昇志向も弱い。「中」から「下」に落ちるかも知れないと考えたこともなく育った。

山の上に登ろうとするのは、山の上に何か素晴らしいものがあると期待するからで、すでに七合目くらいにいて、しかも山の上に欲しいものなどなく、七合目にもたくさんのものが溢《あふ》れているとわかったら、誰も山の上まで苦労して登ろうとしなくなるのは道理である。

ディスカウントストアには、目を疑うような低価格で物が売られている。クラシックの歴史的名盤すら、百円のCDとなって売られている。こんな時代に、努力して働こうと思う方がおかしいとすら言える。だらだら生きても生きられる。

しかし、この団塊ジュニアを中心とする若者がこれから生きていく社会は、これまでとは違う。同じ会社に勤める同期の人間でも、30歳をすぎれば給料が倍も違ってくる。極端に言えば、わずかのホリエモンと、大量のフリーター、失業者、無業者がいる。社会全体が上昇気流に乗っているときは、個人に上昇意欲がなくても、知らぬ間に上昇できた。しかし、社会全体が上昇をやめたら、上昇する意欲と能力を持つ者だけが上昇し、それがない者は下降していく。
そういう時代を前にして、若い世代の価値観、生活、消費は今どう変わりつつあるのか。それが本書の最大のテーマである。

世代用語の解説

本書では世代的な視点から階層問題を取り扱うことが多いので、世代に関わる用語を先に解説しておく。

〈団塊世代〉

一般には第1次ベビーブーム世代と同義語として使われ、狭義には1947年から49年の3年間に毎年約270万人が生まれた806万人を指すが、広義には、1945年から52年あたりまでに生まれた人々を指すこともある。要するに終戦直後の数年に生まれた人々である。仮に1947年から51年生まれとすると、出生数は1253万人、現在でも1087万人が存在する。ただし後述する調査では1946〜50年生まれを対象とした。(三浦展『団塊世代を総括する』参照)

〈団塊ジュニア世代〉

一般的には第2次ベビーブーム世代と同義語として使われ、1971年から74年に毎年200万人、4年間で800万人生まれた世代を指す。その名前から団塊世代の子供であると誤解されるが、筆者は、第2次ベビーブーム世代の親には必ずしも団塊世代が多くないことを厚生労働省の「人口動態統計」から立証し、この世代を「ニセ団塊ジュニア世代」と名付けた。しかし本書では一般的用法を踏まえ、1970〜74年生まれあたりを団塊ジュニア世代と呼ぶことにする。ただし後述する調査では1971〜75年生まれを対象とした。

（三浦展『団塊ジュニア1400万人がコア市場になる!』参照）

〈真性団塊ジュニア世代〉

筆者は厚生労働省「人口動態統計」から団塊世代が実際に産んだ子供の比率が最も多い世代を探り出し、出生数の50%以上が団塊世代の子供である世代という意味で、1973〜80年生まれを真性団塊ジュニア世代と名付けた。特に団塊世代の男性の子供が多いことに着目すると、1975〜79年生まれあたりが最も真性団塊ジュニア世代と言える世代である。

（三浦展『マイホームレス・チャイルド』参照）

〈新人類世代〉

新人類世代は人口学的には定義できない世代であり、一般的にも一義的な定義が存在しない。そもそもは、筆者が所属していたパルコのマーケティング雑誌『アクロス』が１９８４年６月号で１９６８年生まれを中心とする世代を「新人類」と名付けたのが最初。現在筆者は、新人類世代を社会経済的な視点から、高度経済成長期に生まれた世代と定義する。高度経済成長期とは１９５５～７３年とするのが社会学的定説らしいが、特に所得倍増計画が発表されてから達成されるまでの１９６０～６８年に生まれた世代を新人類世代であると筆者は定義したい。つまり、新人類世代とは、日本が最も激しく経済成長をしていた時代に生まれた世代と言うことができる。左記の調査では１９６１～６５年生まれを対象とした。（三浦展『新人類、親になる！』参照）

〈昭和ヒトケタ世代〉

文字通り昭和元年から9年まで（１９２６～３４年）に生まれた世代を指す。１９５５～７３年の高度経済成長期に20代から40代であり、まさに高度経済成長を支えてきた中心的な世代である。新人類世代は昭和ヒトケタ世代の、特に男性の子供に当たる。左記の調査では１９３１～３７年生まれを対象とした。

調査の概要

昭和4世代欲求比較調査（以下「欲求調査」とする）

調査日：2004年11月12日（金）～30日（火）
調査方法：郵送質問紙法（一部訪問留置、訪問回収を併用）
調査対象：1都3県在住者800名　左記世代各200（男女各100）
　昭和ヒトケタ世代　1931～37年生まれ
　団塊世代　1946～50年生まれ
　新人類世代　1961～65年生まれ
　団塊ジュニア世代　1971～75年生まれ
割当方法：2003年1月時（千葉県は4月）の各都県発表の男女別年齢別人口をもとにサンプル数を都県別に割当。
回収数：1150件配布、929件回収、有効回答861件。そこから、男女別世代別各100名を無作為抽出した。
調査実施：（株）サーベイリサーチセンター
集計分析：（株）イー・ファルコン
調査企画プロデュース・総合分析：カルチャースタディーズ研究所

女性階層化調査1次調査（以下「女性1次調査」とする）

調査日：2005年5月18日（水）～22日（日）
調査方法：web調査
調査対象：1都3県在住女性2000名

18～22歳……500人　23～27歳……500人
28～32歳……500人　33～37歳……500人

割当方法：1都3県を6地区（東京23区／23区以外の東京／横浜・川崎／横浜・川崎以外の神奈川／埼玉／千葉）に分け、平成12年10月の国勢調査結果を用い、上記年代ごとに、6地区それぞれの居住者の割合、および各地区での未婚率および既婚率を算出。それらの割合を上記年代に割り当てた。さらに、アトラクターズ・ラボ株式会社「日本の将来推計人口（2001年12月推計）」のデータを参考に、23～27歳の未婚率が3%、28～32歳の未婚率が5%、33～37歳の未婚率が5%、それぞれ上昇していると仮定し、調整を行った。

調査実施・集計・分析：（株）シンク・ツー

調査スポンサー：（株）読売広告社

調査企画プロデュース・総合分析：カルチャースタディーズ研究所

女性階層化調査2次調査（以下「女性2次調査」とする）

調査日：2005年6月21日（火）～26日（日）

調査手法：web調査

調査対象：1都3県在住女性600人

18～22歳……150人　23～27歳……150人
28～32歳……150人　33～37歳……150人

割当方法：1次調査と同様

調査実施・集計・分析：（株）シンク・ツー

調査スポンサー：（株）読売広告社

調査企画プロデュース・総合分析：カルチャースタディーズ研究所

目次

第4章　年収300万円では結婚できない!?――115

パラサイト女性は年をとると下流化する
400万円が女性のリッチ生活の条件
やっぱりホワイトカラー管理職の妻がベストか?
「上」の多い大学院生、「下」の多いフリーター
派遣社員、フリーターの結婚、子育ては不利
家族形態は多様化したが、幸福の形は必ずしも多様化していない

第5章　自分らしさを求めるのは「下流」である?

自分らしさ志向は「下」ほど多い
団塊世代と団塊ジュニアは逆の傾向
自分らしい人生という呪文
「個性を尊重した家族」も「下」ほど多い
低階層の若者ほど自己能力感がある
自分らしさという夢から覚めない
自分らしさ派は階層意識も生活満足度も低い
自分らしさ派は、未婚、子供なし、非正規雇用が多い
自分らしさ志向の問題点

第1章　「中流化」から「下流化」へ

「上」が15％、「中」が45％、「下」が40％の時代がやって来る⁉

階層格差が拡大している。今後はますます拡大すると言われている。

厚生労働省の「所得再分配調査」によれば、所得のジニ係数（不平等度を測る指標であり、分布が平等であれば0に近づき、不平等であれば1に近づく係数である）は1990年の0・4334から2002年は0・4983に上昇している（表1－1）。ジニ係数が0・5というのは、国民の総所得の4分の3を、所得の高い方の4分の1の人だけで占める状態であるから、現在の日本はほぼその状態にあると言える。

社会保障による所得再分配後のジニ係数は、日本は0・322であり、アメリカ0・36

8、イギリス0・345、フランス0・288、スウェーデンとドイツ0・252と比べると、日本は米英に近い格差が生じてきていると言われる（図1‐1）。

また近年の所得格差の拡大要因は、経済学的には、所得格差の大きい高齢者の増加が主であると言われ、成果主義の導入による30代から50代の所得格差の拡大の影響はまだ確認されていないと言われている（大竹文雄『日本の不平等』参照）。高齢者の格差に比べれば、成果主義による格差は大都市圏の民間企業ホワイトカラー層に限られがちな格差であるから、全体で見ればまだ大きくないからであろう。

しかし、大都市圏の民間企業ホワイトカラー層にとっては、成果主義による所得格差の拡大はすでに現在進行中の事実であり、今後ますますそれが拡大することはほぼ間違いない。

若年層で下流化が進行

階層化問題の火付け役のひとりである佐藤俊樹東京大学大学院助教授によれば、男性有職者を収入で4階層に分けて、階層意識を「上」「中の上」「中の下」「下の上」「下の下」に分けて聞くと、1975年はどの収入階層でも階層意識に差はなく、50%以上の人が自分は「中の下」だと回答した。しかし95年にはいちばん収入の高い、全体の20%を占める層の人

表1-1　所得再分配による所得格差是正効果（ジニ係数）　（％）

	当初所得	再分配所得		税による再分配所得（当初所得−税金）		社会保障による再分配所得（当初所得+現物給付+社会保障給付金−社会保険料）	
	ジニ係数（A）	ジニ係数（B）	改善度 [(A−B)/A]	ジニ係数（C）	改善度 [(A−C)/A]	ジニ係数（D）	改善度 [(A−D)/A]
1990	0.4334	0.3643	15.9	0.4207	2.9	0.3791	12.5
1993	0.4394	0.3645	17.0	0.4255	3.2	0.3812	13.2
1996	0.4412	0.3606	18.3	0.4338	1.7	0.3721	15.7
1999	0.4720	0.3814	19.2	0.4660	1.3	0.3912	17.1
2002	0.4983	0.3812	23.5	0.4941	0.8	0.3917	21.4

（注）1999年以前の現物給付は医療のみであり、2002年については、医療、介護、保育を含む。
資料：厚生労働省「平成14年度所得再分配調査」

図1-1　所得再分配後の所得格差の国際比較

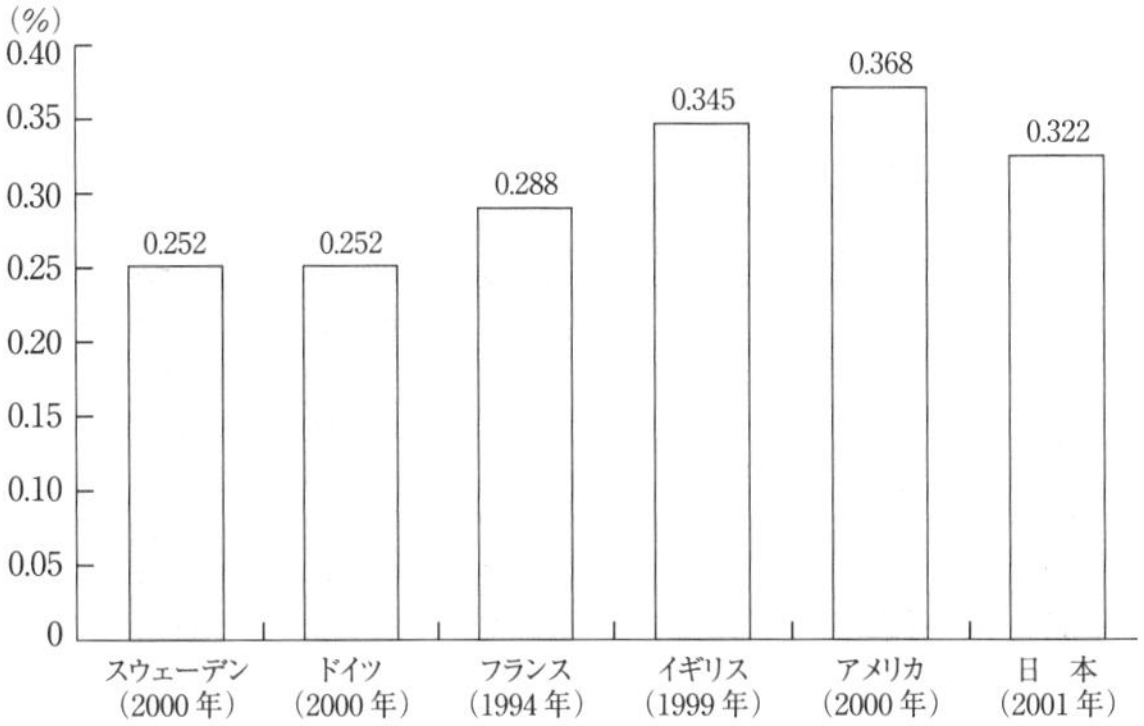

（注）日本は、等価再分配所得のジニ係数、日本以外については、等価可処分所得のジニ係数を示している。
資料：日本以外については Luxemburg Income Study
日本については2002（平成14）年所得再分配調査結果（厚生労働省）

のうち50％以上が「中の上」と回答したという（佐藤俊樹『00年の格差ゲーム』）。

こうしたことから、私としては、今後、日本人全体の10％から20％、まあ、中をとって15％くらいが、自分を単なる中流ではない、「中の上」以上と見なすようになっていくのではないかと仮定してよいのではないかと考えている。

そのあたりを検証するために、内閣府の「国民生活世論調査」を見てみよう（図1－2）。すると、たしかに近年、中流意識に変化がある。いわゆる階層意識をたずねる質問は具体的には「あなたの生活程度は世間一般と比べてどれくらいですか」という質問である。

この問いに対して、「中の中」と答える人が1996年には57・4％いた。これが2004年は52・8％に減っている。逆に、「中の下」は23・0％から27・1％に増えている。「下」も5・2％から6・5％に微増しており、「中の下」と「下」を合わせると、28・2％から33・6％に増えている。

もちろん、「中の下」や「下」が増えたことは今までもある。1980年代後半のバブル時代にも「中の下」や「下」が増えている。

しかし当時は「中の中」はあまり減らなかったし、「中の上」が増えることもなかった。

たとえば87年には「中の中」は52・5％だった。対して、「中の下」は30・0％まで増え

図1-2　中流意識の変化

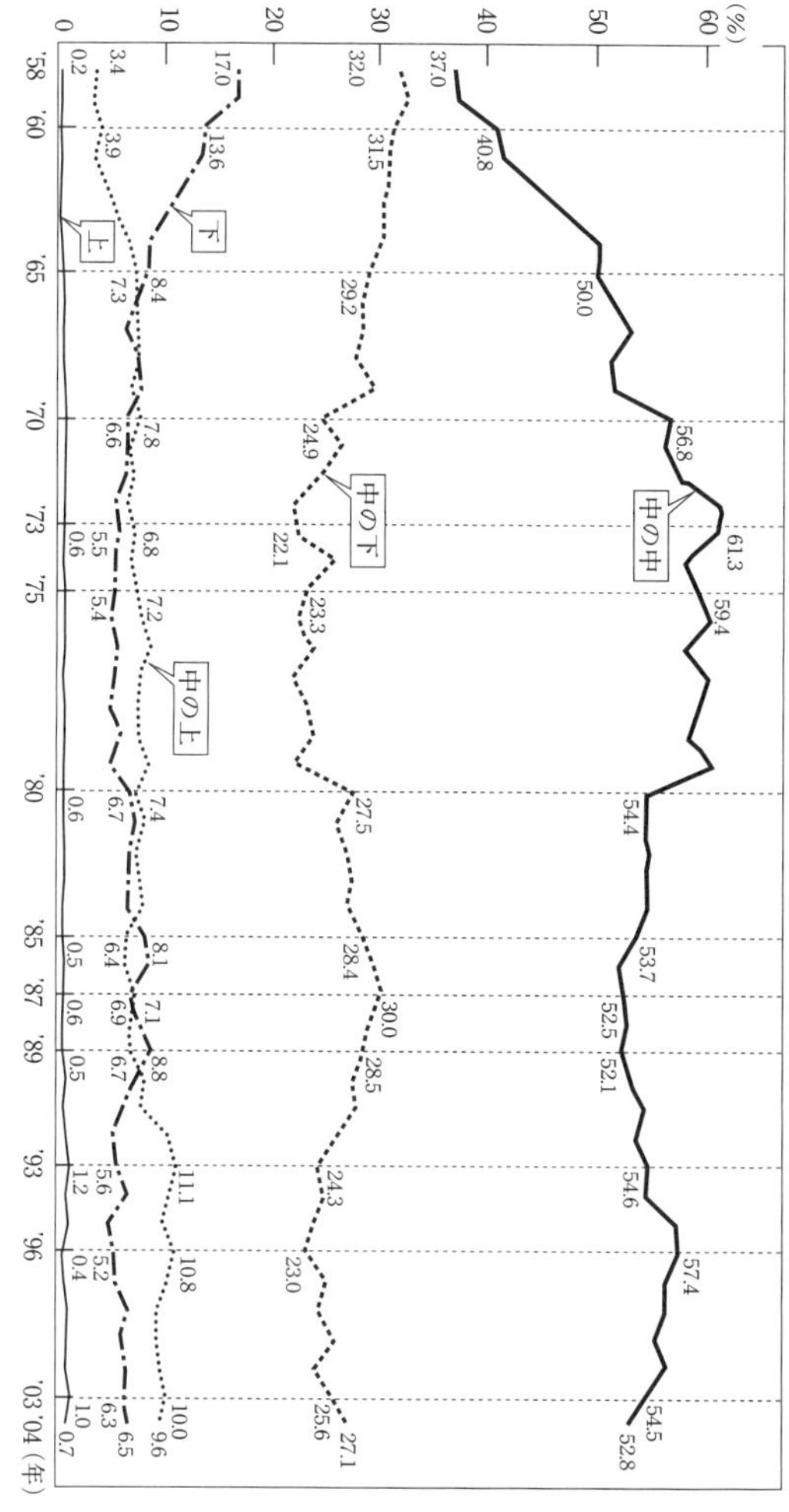

(注) '62年1月調査及び'63年1月調査ではこの質問は行われていない。
'67年2月調査から'69年1月までは対象者が世帯主、家事担当者。

資料：内閣府「国民生活世論調査」

た。「下」は7・1％だから、合計すると37・1％だ。2004年よりも多い。だが「中の上」は6・9％しかいなかった。

87年から96年までは、「中の中」が52・5％から57・4％に増え、「中の上」も6・9％から10・8％に増えた。逆に「中の下」は30・0％から23・0％に減っている。つまり、この10年間は国民が全体としては上昇意識を持っていた時代であると言える。

ところが96年からは違う。「中の中」が減り、「中の下」や「下」が増え、同時に、「中の上」が10％前後を維持し続けているのだ。これは戦後の歴史の中でも初めての傾向である。国民が全体として下降意識を持っているのではなく、「中の上」以上の人だけが高い状態を維持していると考えられるのである。これが階層格差の拡大を意識面から裏付けるデータである。

中流化の「1955年体制」から、階層化の「2005年体制」へ

そういう意味で、現在日本は大きな転換期にある。それは戦後の経済成長を進めた体制である「1955年体制」から、それとはまったく異なる社会体制が始まる時代への転換であると言える。

「１９５５年体制」というのは、55年に自由党と民主党が保守合同をして、自由民主党になったことから、以後、政治学の世界で自民党の一党体制を55年体制と呼ぶようになったのである。

この55年体制は政治的には東西冷戦構造時代の体制であり、経済的には高度経済成長期にあたる。そして消費面では、大衆消費社会が拡大発展し、中流社会が拡大していく時代であった。

言いかえると、稼いだ富を一部の資本家階級、支配階級だけが独占するのではなくて、幅広い国民に均等に分配して、中流社会をつくっていく。こういう富の平等な分配の社会、中流化を目指したのが55年体制であると言える。

先ほどの「国民生活世論調査」をもう一度見てみよう。１９５８年は「中の下」と「下」を合計すると49％もいた。

１９５８年に何があったか。東京タワーができ、ミッチーブームがあり、スバル３６０、ホンダスーパーカブ、日清チキンラーメンが発売されている。まさに大量生産、大量消費の時代が始まった。

そして73年には「中の中」だけで61・３％になった。たった15年で日本は階級社会から中流社会に変わったのだ。自分は「下」の方だと思う国民が半数いた社会から、自分は真ん中の真ん中だと思う国民が6割の社会に変わったのだ。

しかし、2005年以降のわが国の社会は、おそらくもうあまり成長はしない。国民も、もちろん不景気は脱して欲しいが、まだまだたくさん欲しいものがある、買いたいものがあると言って経済成長と階層上昇を求める時代ではない。みんな中流なんだから、これ以上の格差是正は求めないという価値観も出てきていると言われる(今田高俊「ポストモダン時代の社会格差」)。

そしてそんな中では、皆が中流であることを目指すことに価値はなく、むしろ自分にとって最適な生活、最適な消費、暮らしを求めるようになっているようにも見える。

だからこそ、評論家の森永卓郎のように「年収300万円時代を楽しく生き抜く」といった内容の本が売れるのだとも言える(そう言っている森永自身の年収が3000万円以上あるのは皮肉なことだが)。みんなが年収700万円、800万円、あるいは1000万円の所得を目指すということがよしとされた時代が、たしかにかつて、いや、つい最近まではあった。が、現在は、300万円でも自分にふさわしい暮らしができるならそれでいいと思う人が増えているのかも知れない。

もちろん3000万円が私にとって最適だという人はそれを目指してください、ベンチャー企業に投資して何十億円でも儲けてください、そういうふうに、もっと上の方に広がる分に関して文句は言いません、最低限の暮らしが保証される限りは、上に行きたい人が行く分には全然構わない。私も一緒に上に行こうとは思いません、今の暮らしでもいいです、という心理ではないかと思われる。

つまり、1955年体制における「一億総中流化・平等化モデル」が転換し、「階層化・下流化モデル」へ変わりつつあると言えるのである。

こうした転換の原点は、実は高度消費社会と言われた1980年代にすでに始まっていたと言えるが、当時はまだ55年体制に代わる社会体制モデルがはっきりと見えなかった。

しかし、現在、不況、少子高齢化、人口減少といった社会構造の大きな変化の中で、家族、教育、雇用など生活の各方面での具体的な変化が明らかになってきたために、新しい社会体制のモデルが次第に目に見えてきたと言えるであろう。

中流化モデルの無効化

このように、これまでは一枚岩だった中流が、「上」と「下」に二極化する傾向が見えてきた。それがもし本当なら、格差の拡大は消費にも大きな影響をもたらすだろう。これまでのように、国民の多くが中流を目指すため、中流であることを確認するためには消費をしなくなる。あるいは、中流であることを象徴するようなものが売れなくなる。いや、すでに売れなくなっている。

中流化の時代には、限られた富裕層に高額なものを売るヨーロッパ型のモデルよりも、増大する新中間層に安くて良い品を大量に売るモデルの方が売上げがはるかに増大し、利益も出た。

仮に、同じ商品を売るときに、「上」(「中の上」と「上」の合計を「上」とする)には高額の10万円の商品を、「中」(「中の中」)には大衆クラスの7万円の商品を、「下」(同じく「中の下」と「下」の合計)には3万円の商品を売るとしよう。まあ、男性用のビジネスーツなどを考えればよい。

100万人の市場があるとすると、1958年は「上」が3・6%、「中」が37・0%、「下」が49・0%の社会だった(図1‐3)。無回答がいるので合計が100にならないため、合計を100になるように数字を修正すると、「上」が4%、「中」が41%、「下」が55%だ。

するとと売上げは、

図１-３　中流意識の変化　その1（1958〜73年）

(%)

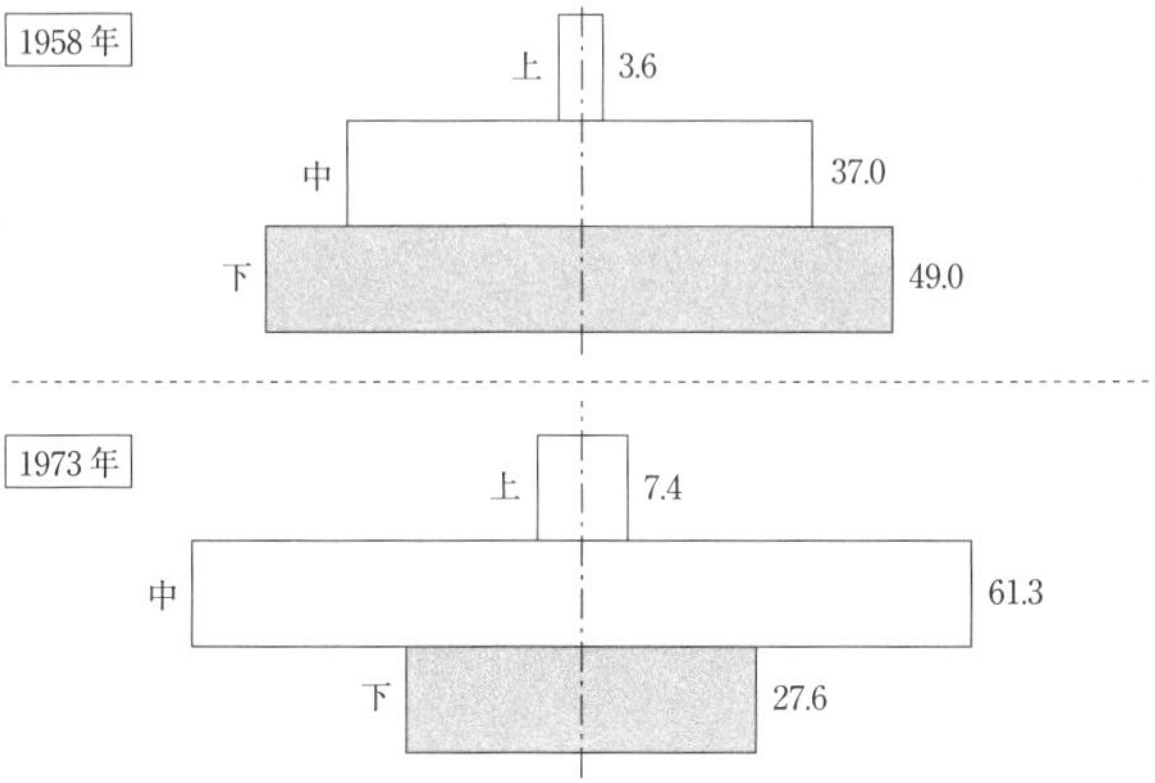

資料：内閣府「国民生活世論調査」をもとにカルチャースタディーズ研究所作成

10万円×４万人＝40億円
７万円×41万人＝２８７億円
３万円×55万人＝１６５億円
合計４９２億円となる。

これが73年の中流社会モデルになると、「上」が８％、「中」64％、「下」29％だから、

10万円×８万人＝80億円
７万円×64万人＝４４８億円
３万円×29万人＝87億円
（注：小数点以下四捨五入により合計が１００にならない）
合計６１５億円になる。３万円のものしか買えなかった層が７万円のものを買える層に上昇したので、売上げが拡大したのだ。

こういう中流化トレンドの中で、日本の家

電産業、自動車産業、アパレル産業など、あらゆる産業が売上げを伸ばしてきたのである。だから日本の企業は中流向けに商品をつくるのが得意になった。だが、上流向けに商品をつくるのは苦手だ。

「上」に対して物を売るノウハウが必要になる

しかし今後、「中」が減って、「上」が増えるとすれば、「上」に向かって商品をつくるノウハウがもっと必要になる。

先述したように、1996年以降は「中」が減って「下」が増えて「上」が高止まり、ないし増加している。

そこで仮に201X年に「上」が15％、「中」が45％、「下」が40％になるという想定をするとどうなるだろうか（図1－4）。すると、

10万円×15万人＝150億円
7万円×45万人＝315億円
3万円×40万人＝120億円

合計585億円となる。売上げが73年モデルより減ってしまう。言うまでもなく、「中」

図１-４　中流意識の変化　その2（1973～201X年）　(%)

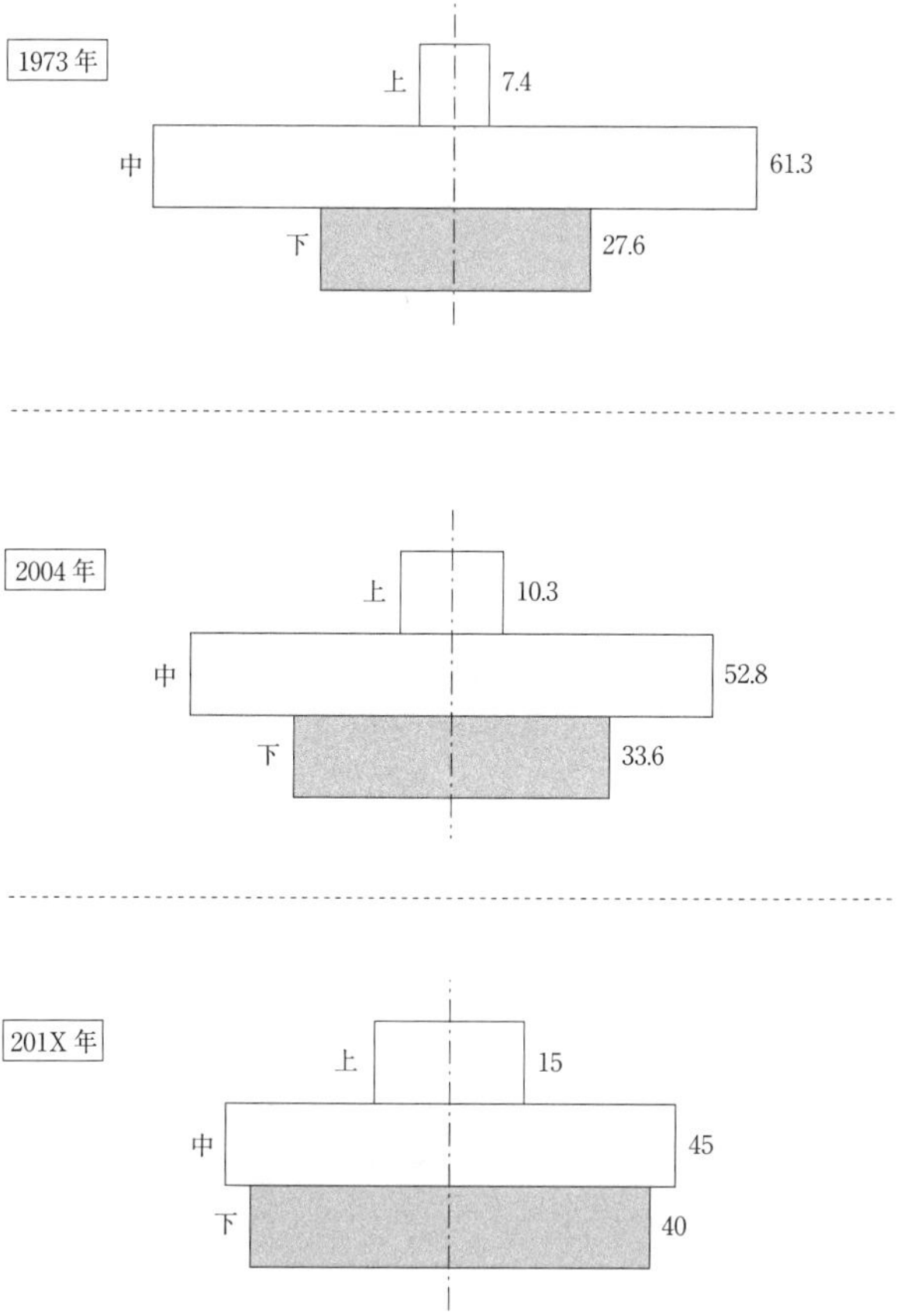

資料：内閣府「国民生活世論調査」2004をもとに三浦展作成。
ただし201X年はカルチャースタディーズ研究所の仮定

が減ったからである。「中」の売上げは133億円も減少し、「下」の売上げは33億円しか増えないからである。しかし「上」の売上げは70億円も増えて、ほぼ倍増に近い。

ところが、百貨店の売上げなどを見ると、バブル崩壊以来前年割れが続いている。とても615億円から585億円への減少程度ではとどまらない。

それはおそらくデフレのせいである。7万円のものを買うべき「中」が「下」に近づいて5万円のものしか買わなくなったのである。ユニクロ現象である。

そうなると売上げは、

10万円×15万人＝150億円

5万円×45万人＝225億円

3万円×40万人＝120億円

合計495億円である。73年モデルの80％しかない。しかしバブル時代よりも売上げが7割とか6割に減ってしまった百貨店業界を考えると、まさにこのモデルが当てはまりそうだ。市場が「中流社会」から「階層社会」あるいは「下流社会」に変わったのに、相変わらず中流社会型のビジネスモデルで対応しているから、売上げが減るのである。百貨店の売上げの減少は1973年モデルから201X年モデルへの転換の失敗なのである。

では売上げを回復するにはどうすればいいか。

もちろん「中」も「下」ももともとの値段のスーツを買うように戻ってくれればよい。ただしそれでも総売上げは減る。「中」が減るからだ。

ではどうするか。「中」に7万円ではなく8万円の、「下」に3万円ではなく4万円のスーツを買ってもらえるだろうか？　おそらくそれは難しいであろう。「下」はもちろん、「中」の人も意識が下流化し、安い物を選ぶようになっているからだ。

それよりも、「上」に10万円ではなく15万円のスーツを買ってもらった方がよいのだ。

すると、

15万円×15万人　＝225億円

5万円×45万人　＝225億円

3万円×40万人　＝120億円

合計570億円となる。

これでもまだ73年モデルには追いつかない。追いつくには「上」に20万円のスーツを（あるいは10万円のスーツを2着）買ってもらう必要がある。

すると、

20万円×15万人　＝３００億円
５万円×45万人　＝２２５億円
３万円×40万人　＝１２０億円
合計６４５億円となる。

これでようやく73年モデルを超える。「中」が減ったぶんを取り戻すということは、それくらい大変なことなのだ。

55年のクラウンから２００５年のレクサスへ

ここで気づくのは、15％の「上」に15万円のスーツを売ったときの売上げと、45％の「中」に5万円のスーツを売ったときの売上げは等しいということだ。当たり前だが、人口が3分の1だが単価が3倍なので売上げが同じになる。となると、おそらく利益は「上」の方がずっとたくさん出る。「上」が20万円のものを買えば売上げは75億円も多い。おそらくその75億円すべてが利益になるはずだ（図1‐5）。

「中」が減っていくトレンドの中で、「中」に向けて商品を売ることは得策ではない。もっと「上」に向けて売るべきなのだ。その方が売上げも利益も増える可能性が出るという時代

図1-5　もしも100万人の男性にスーツを売るとしたら…

1958年

階級社会モデル	
上	10万円×4万人＝40億円
中	7万円×41万人＝287億円
下	3万円×55万人＝165億円
合計＝492億円	

1973年

中流社会モデル	
上	10万円×8万人＝80億円
中	7万円×64万人＝448億円
下	3万円×29万人＝87億円
合計＝615億円	

201X年

階層社会モデル	
上	10万円×15万人＝150億円
中	7万円×45万人＝315億円
下	3万円×40万人＝120億円
合計＝585億円	

階層社会デフレモデル	
上	10万円×15万人＝150億円
中	5万円×45万人＝225億円
下	3万円×40万人＝120億円
合計＝495億円	

階層社会富裕層攻略モデル	
上	20万円×15万人＝300億円
中	5万円×45万人＝225億円
下	3万円×40万人＝120億円
合計＝645億円	

資料：カルチャースタディーズ研究所作成

が始まっているのだ。

このように、中流化から階層化へのトレンドシフトは、これまでのビジネスモデルを無効にし、新しいビジネスモデルを必要とするのである。

ところが日本の企業は、膨大な中流のためにたくさんのものを売るという仕組みでしか動けないようなところがある。生産ラインもそのように組んである。社員の数も多い。だから利益率が低くても売上げが多いことを求める。

しかし階層化が進めば、今までのように「中」に集中して大量生産するだけでなく、「上」には「上」のためのものを売るという戦略も求められる。

これまでは、「中」向けに商品を売ることが売上げも利益も最大化することだった。「中」に向けて10万円の商品を売っているとき、「上」を相手に同じ売上げを作るには80万円の商品を売らねばならないが、そんなことは不可能だったからである。

しかし今後は、「上」向けに30万円の商品を出せば売上げは同じになり、利益はもっと増えるということである。それならば可能性はある。２００５年８月から始まったトヨタのレクサスはそれを狙っているのだ。

２００３年に改装した新宿伊勢丹メンズ館も、思い切って高級化路線に転換した。百貨店の紳士売場というと、まさに中流の課長、部長向けの店づくりをしてしまうが、伊勢丹メンズ館は、「上」に向けて差別化することで成功したと言える。

思えばトヨタクラウンの発売は１９５５年である。55年体制の始まりとともにクラウンは登場し、その後、カローラ、コロナ、そしていつかはクラウンという典型的な階層上昇型消費モデルを提示することでトヨタはフルラインナップ型の大企業へと成長した。まさに一億総中流化時代を象徴するのがクラウンなのだ。

そのトヨタが「一部の富裕層」に向けてレクサスを投入する。それはきっと「いつかはレクサス」という形では売られないであろう。それが２００５年体制というものなのである。

第2章　階層化による消費者の分裂

階層化社会の価値観

第1章で述べたような階層化が進めば、国民は次第に異なるいくつかの集団に分裂していくと思われる。それを考える前提として、以下のようなことが考えられる。

①階層上昇志向を持つ人が今までよりは減り、仕事、お金より、個人の趣味、あるいはNPO、ボランティアなどを重視する人が増える。
②階層上昇志向の弱い人の中には、企業に就職せず、手に職をつけるなどの形でもっと自由に働くことを志向する人が増える。

③今まで通り階層上昇志向を持つ人は、もちろん一定数いる。特に女性では上昇志向を持った人がさらに増える。また上昇志向の強い人たちは、成果主義型賃金体系の中で、あるいは外資系やベンチャー企業などの中で、より多くの所得を得ようとする。

④しかし、夫の経済力によって高階層であろうとする専業主婦志向の女性も簡単には減らない。

女性の分裂

こうした前提から、階層上昇志向か現状維持志向か、また、職業志向か趣味志向か（女性は「職業志向か専業主婦志向か」）という2軸を想定して、男性、女性が、それぞれどのように分裂するかを仮説的に考えてみよう。

１９８０年代前半までは、女性の生き方は、専業主婦化することが典型的で多数派だった。しかし、86年の男女雇用機会均等法施行以降、女性でも総合職として高給を得る人が増加し、他方で、フリーターや派遣社員として働く人も増えてきた。また、そもそも結婚をしない女性も増えた。女性の生き方が多様化し、女性が分裂していくと言える。

そこでそういう女性の分裂のイメージを描いてみよう（図２‐１）。

図2-1　女性の類型化

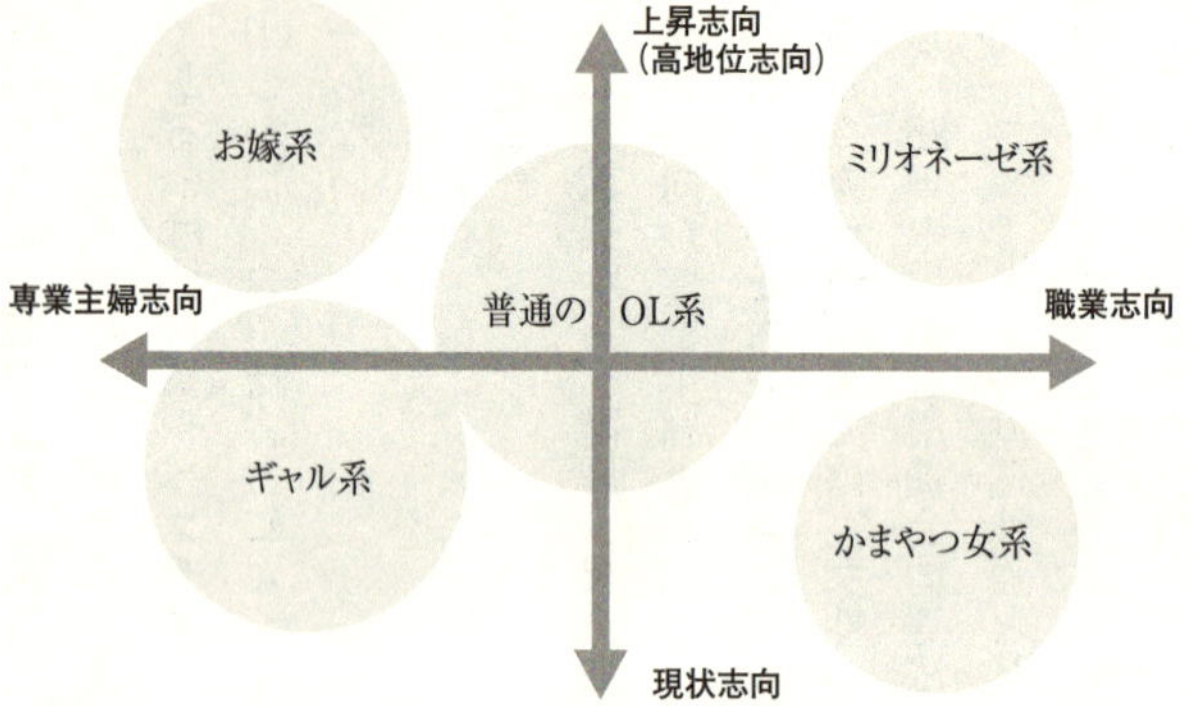

（注）かまやつ女とは三浦展の造語であり、最近の若い女性の中で増加しているファッションの類型。価値観としてはマイペース、自分らしさ、楽ちんを志向しつつ、手に職志向であり、専業主婦志向がない女性を指す。（三浦展『「かまやつ女」の時代』参照）

資料：カルチャースタディーズ研究所作成

なお、以下で述べる男女の消費者のイメージは、必ずしも実証データに基づくものではないが、これまでの私のマーケティング経験やインタビュー調査を踏まえたものであり、一部は第3章以降で紹介するデータによってある程度裏付けられるものである。

（1）お嫁系

高度成長期以前、専業主婦を前提としたお嫁系になれる女性は、一部の限られた富裕な家に生まれた人だけであったはずだ。

しかし高度成長期以降、1980年代までは、普通のサラリーマンと結婚しても、ある程度生活水準が上昇していくことが期待できたので、お嫁系志向は女性全体に拡大した。

事実、均等法以前は、高校か短大を出て、事務職として就職し、「花のＯＬ」として男性の補助的な仕事をこなし、そのうちに彼女を見初《みそ》める男性が現れて、めでたく寿《ことぶき》退社、という人生が女性の理想的コースであった。

しかし均等法以後、女性も四年制大学を出て、総合職として男性並みに働くという生き方が奨励され、お嫁系のような生き方は、一時期、男性にとって都合のよい「バカな女」の生き方であるとすら一部では言われた。

昼下がりの青山を歩くリッチなお嫁系女性

配偶者控除がなくなったり、政府税調では「専業主婦は生きる意欲のないパラサイト」だという意見も出たりと、近年専業主婦の旗色は悪い。それでも、女性にとって裕福な家の専業主婦になることは今でも大きな魅力でありつづけている。

まして、不況が長引き、給料も上がりにくい経済情勢の中で、誰もが将来は裕福な暮らしができるという希望が持ちにくくなると、このお嫁系的な生き方が、むしろ女性の価値を最大限利用して、ゆとりのある暮らしを手に入れるための最も戦略的な生き方として再評価されているようにも見える。近年、「名古屋嬢」(注)が注目されているのはまさにそのためであろう。

彼女たちは、典型的には、富裕層あるいは中産階級の子女。名のある女子短大ないし女子大を卒業し、親のコネで有力企業に就職。あるいは昔ながらの家事手伝いをしながら、昼は優雅にお母さんとお買い物や料理をする。そうして、親子共々、現在の階層と生活水準を維持、あるいは向上させる結婚を当然と考えている。

消費の面では、自動車、住宅、ファッション、インテリアなど、すべての面で高級志向が強く、また階層維持のためのお受験、英語教育など、教育費も多い層である。

(注) 名古屋嬢とは、ピンクをどこかに取り入れたコンサバティブなファッション、髪は内側にくるくると巻き、ブランド物が好きな女性で、名古屋地方に多いことから、そう呼ばれる。

お嫁になるのは難しい

表２-１　女性（18～37歳）が結婚相手に求める年収（n＝600）

（%）

400万円未満	400万円～	600万円～	800万円～	1000万円以上
7.2	29.0	29.7	16.3	17.8

（注）既婚女性も回答者に含まれている。
資料：カルチャースタディーズ研究所＋（株）読売広告社「女性2次調査」

しかし、お嫁系志向の女性を専業主婦として抱えられる経済力、つまり女性に今の仕事を辞めさせることができるだけ所得の高い、そして今後も所得が伸びると期待できる男性は減少している。慶應大学の樋口美雄教授の指摘するように、夫の所得格差は拡大・固定化傾向にあるからだ（樋口美雄編『日本の所得格差と社会階層』）。だから、結婚後も女性にも就労を継続してもらうことを求めている男性が増えている（国立社会保障・人口問題研究所の「第12回出生動向基本調査」でも、結婚後の妻に専業主婦を望む未婚男性は１９８７年には38％だったが、２００２年は18％に減っている）。

よってお嫁系志向の女性がその人生の理想を全《まっと》うする可能性は従来よりも低下している。しかし、億万長者とは言わないが、できれば年収７００万円以上の男性がよいと考える女性は多い（表２-１）。しかしそういう男性は限られているので、男性の争奪戦が起こる。

その戦いに勝つには、容姿がよいか、性格がよいか、家柄がよいか、頭がよい必要がある。そのいずれも十分に持たない女性は、年収の低い男性で我慢するか、それがいやなら独身生活を長期化させて、しばしば「干物女」的ＯＬ生活を続けることになる（注）。

ことほどさように、現代において、幸せなお嫁になることは難しい。

（注）「干物女」とは、ひうらさとるのマンガ『ホタルノヒカリ』で使われた言葉。主人公雨宮蛍は20代にして恋愛を放棄。平日は毎日会社から直帰してマンガを読んで、ひとり手酌で酒を飲んで、休日はふとんのなかでうだうだ過ごすのが幸せという女性。青春時代をまるで干物にした老人みたいだ、ということで干物女という。

インタビュー　お嫁系女性

頭がよくて将来性のある東大生なら結婚してもいい

21歳　某有名私立大学４年　埼玉県に両親と同居　父親は地方公務員　母親はパート主婦

所得２００万円ほど（アルバイトとお小遣い）

女性誌で化粧品関係の記事を書くアルバイトをしています。バイト代は月に15万円、親からは生活費として月３万円ほどもらっています（今は就職活動中なのでバイトは休業中）。就職は出版社を目指しています。大手出版社に落ちたら、中堅出版社も受けます。中学生の頃から出版社で雑誌をつくりたいと思っていたので。

仕事柄、世の中で話題になっているもの、流行しているものには敏感で、バイト代はすべてファッション代に使っています。でも飲食店には「ホットペッパー」のクーポンが使えるところに行ったりしますよ。

ブランド品は好きです。値段が高い物はやはりよいと思うし、長く使っても飽きないので。エルメスのバッグが好きです。中１の時ヴィトンの財布を持ったのが最初。当時学生だった兄が海外旅行のおみやげで買ってきてくれたものです。母は別にブランド好きではないです。父も全然。でもクルマはセルシオ。祖父が亡くなって遺産が入ったので、それでセルシオを買い、家を建て替えたんです。

あと、食べ物では、虎屋など、老舗のものがいいなと思うようになりました。菓子折などは老舗のものの方がよい。先日、兄が結納したのですが、先方から結納返しをいただいた時も、老舗のもので揃えて頂くと、やっぱりちゃんとした家柄なのかなと思うので。

自分のファッションは何系かな？　年上の方と会う時はお嬢様系、友達と海に行く時はギャル系とか。だらしない格好は嫌い。

自分の性格は負けん気が強い。中学・高校は私立の女子校だったんですが、第一志望に落ちて行ったところなので、悔しかった。第一志望は（東京）女学館。制服が可愛かったので。

で、中高では、成績がよかったので、エスカレーター式で大学にも行けたんですが、私は、どうしてもまわりの子よりいい大学に行きたかった。受験勉強は大変だけど、努力すること、負けないように頑張ることの大切さを知ったのはよかった。エスカレーター式で大学に行っちゃって、あとから、もっといい大学に行っておけばよかったと、うらやましく思ったり、後悔したりしたくなかったから。

結婚はしたい。相手の年収は１５００万円以上希望。高ければ高いほどいいです。医者とか弁護士とか。だから10歳年上でもかまいません。子供ができたら専業主婦になりたい。私が小学生の頃、母がパートに出て家にいなかったので、寂しかったから。子供を大きなベビーカーに乗せて、お昼に六本木ヒルズに行くの（笑）。

あと、働いている女性の子供を預かってあげるとか、そういう地域社会の中でのボランティアみたいなこともしたい。子供が好きなので。

自分の子供は小学校から私立に入れて、私はきれいな格好をして授業参観に行く。そしてリッチな主婦としてテレビに出たい（笑）。

でも、男の子だったら小学校から私立っていうのはだめかも。今の大学にも小学校からずっと上がってきた男子がいるんですが、その子は美容師になりたいって言って、大学に行きながら専門学校にも行ってるんです。そういうのは許せない！　何のために大学に来たんだ！　だったら最初から専門学校へ行け！って思う。

でも今の彼は、アメリカ留学帰りの俳優志望。彼のお父さんも無名の俳優らしい。だめなパターン。友達にも、早く別れなよって言われる。性格は合うんだけど。

だから、今の不安は、ちゃんと就職できるか、いい人と結婚できるか。

お医者さんと合コンするんだけど、みんな性格が悪い。自分中心で、プライドが高くて、話が合わない。弁護士も、ただヤリたいだけだろって感じ。その中でも、比較的いい男性は、やっぱり友達とも取り合いになりますね。

医者や弁護士でなくても、外資系とか商社とか。あと東大生は好き。東大なら年収低くてもいいです。頭がよくて、しっかりして、将来性のある男性がいいです。

（2）ミリオネーゼ系

１９８６年の男女雇用機会均等法の施行以後、学力が高く、職業志向の強い女性、主に四年制大学を卒業した女性が、企業の中で総合職のキャリアウーマンとなり、男性と同じ賃金を得るようになった。それらの女性は今は30代から40代となり、１０００万円以上の年収を得る人もいる。それがミリオネーゼである。

ミリオネーゼという言葉は『ミリオネーゼになりませんか?』という本を出した出版社、ディスカバー21の造語。アメリカの本『Six Figure Women』の翻訳だ。

Six Figureとは6ケタ、つまり10万ドルということで、約１０００万円以上の年収を意味する。これが日本だと、月収１００万円相当ということで、ミリオネーゼとなった。現実のミリオネーゼ系は年収５００万円程度だろうが、それでもかなりリッチ気分は味わえる。

ミリオネーゼは、高学歴、高職歴、高所得。医師、弁護士、税理士、会計士、コンサルタントなど「先生」「士族」と呼ばれる職業の女性も多い（三浦展『「かまやつ女」の時代』参照）。

図2-2　女性新入社員の昇進希望

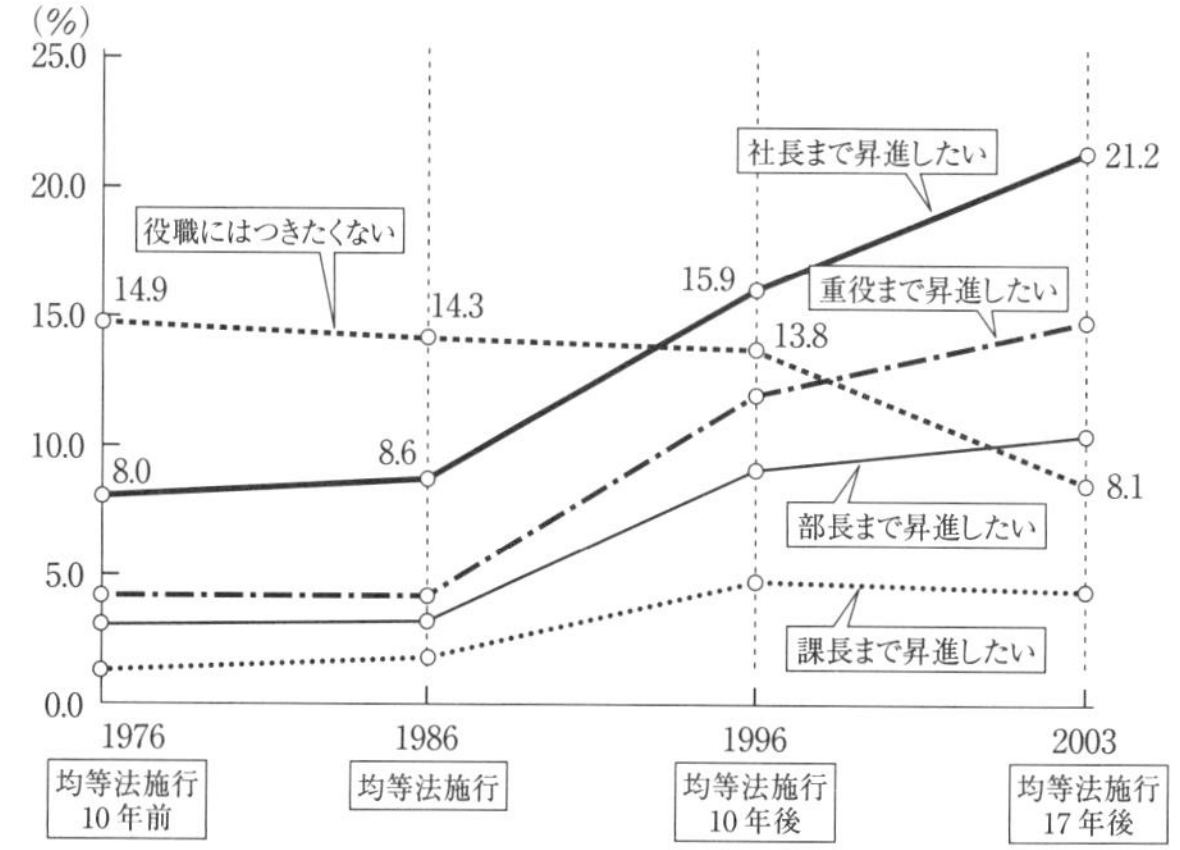

資料：財団法人社会経済生産性本部

財団法人社会経済生産性本部の調査でも、新入社員の女性のうち、課長以上、社長まで昇進したいと考える女性は21％もいる（図２-２）。

ミリオネーゼの性格は、上昇志向、頑張り志向で、自己啓発志向が強い。帰国子女、留学など海外体験も豊富である。東京西南部（目黒、世田谷、杉並から横浜市青葉区あたり）の裕福な家庭の出身者が多く、親も「先生」「士族」であることもしばしば。現在も東京西南部に住む。未婚で、自分でマンションを買う人もいるが（ちなみに未婚で首都圏にマンションを買った女性の数は最低でも約１万人いると推測される）、結婚し、共働きで子供も育てている人も多い。

ミリオネーゼは夫も高所得であることが多い。そもそも高所得の女性は、人生の中で、大学の同級生、会社の同期、取引先など、高所得の男性やその候補生と出会うことが多いからである。

本来は専業主婦志向なのに、たまたま仕事ができてしまったが故に、未婚ミリオネーゼになっている人もいる。実際にそういう女性にインタビューしてみると、非常に負けん気が強く、自分の能力を高めることに余念がない。主婦になれば、子育てに力を注ぐタイプである。

消費は、ブランド志向、グルメ志向が強く、ファション費は年間100万円以上という人も珍しくない。外食費も多い。銀座、青山はもちろん、四谷荒木町、人形町、門前仲町あたりのしぶい小料理屋にも出没。さらに仕事での疲れを癒すための旅行、エステ、美容消費も多い。

日本橋に美人増加の謎

蛇足ながら、これは最近の私がウケ狙いで言う話だが、「今東京でいちばん美人が多い街はどこか？　それは銀座でも青山でもない、まして渋谷ではない、それは日本橋と二子玉川だ」というものだ。

都心を歩くおしゃれな女性

もちろん銀座、青山には美しい若奥様、お嬢様がたくさんいらっしゃる。だが、少し郊外の二子玉川には髙島屋ショッピングセンターがあり、近年改装してさらにグレードアップして以来、その客層の高さは、そんじょそこらの都心の百貨店よりはるかに高い。

　そして日本橋。ここは若奥様とお嬢様が増えたのではない。では誰が？

　というと、それはおそらく金融系企業で働くミリオネーゼ系キャリアウーマンが多いからである。グッチかプラダの黒のスーツに身を包み、颯爽《さっそう》と歩く女性ディーラー、なんてものは、ハリウッド映画の世界かと思ったが、日本の金融街・日本橋にもたくさん歩いているのだ。

彼女たちは、肩肘《かたひじ》張って、髪を振り乱して働いてはいない。なにしろお金はある。髪も肌も美しく整っている。左記のインタビューの女性も、子供を夜10時まで保育園に預けて働きながら、毎週料理を習い、かつエステとベルリッツ（英語学校）にも通っている！ すごいバイタリティである。二十数年前、桐島洋子は『聡明な女は料理がうまい』という本を書いた。その伝で言えば、「聡明な女は料理と化粧と英語がうまい」のだ。

彼女たちの消費は、住宅購入、旅行、家具・インテリア、金融・不動産投資などにも向かっている。外資系なら休みも多い。夏に1カ月のバカンスだってある。身も心もリッチなのだ。自己啓発のための学習費も多く、留学経験、留学希望も多い。国際弁護士、国際会計士などの資格をとるためである。いずれは海外にコンドミニアムを買う女性も頻出するだろう。

それに比べると、渋谷は階層論的にはもはや最も下流の若者が集まる街とすら言える。センター街はまさにそうだ。

インタビュー　ミリオネーゼ系女性

ハワイで子供をサマースクールに預けて夫婦でゴルフしたい

35歳　有名私大卒業　大手企業調査部勤務　父親は大手商社マン
年収1000万円　貯金2000万円

現在、夫と子供と3人で大田区内に賃貸マンション住まい。住居費は25万円。夫の年収は1200~1300万円くらい。住居費と生活費合わせて40万円は夫が支払う。自分は毎月40万円貯金。貯蓄額は2000万円。そのほか、親からもらった株券が2000万円ほどある。夫が貯金しているかどうかは知らない。クルマはBMW525に乗っている。今度はレクサスもいいなと思う。持ち家の予定はまだない。夫がその気にならないので。

買い物は好き。独身時代は年間200万円くらい洋服を買っていたと思う。だいたい日本橋などの百貨店で買うか、海外旅行でまとめて何十万円か買う。あとは旅行か飲食に使っていた。週に1度は女性の友達と8000円くらいのランチを食べていたし、夜も男性におごってもらっていた。旅行は年2回、ハワイとヨーロッパ。ハワイではゴルフ。ヨーロッパでは買い物。今は子育てのため、買い物の時間がないが、それでも年間100万円くらい洋服を買っている。でもユニクロは買わない。子供が大きくなったら、ちゃんとしたレストランで2時間くらいかけて食事をしたい。それから家族でハワイに行って、子供はホテルに預けて、ゴルフ三昧で過ごしたい。

料理が好きで、以前は懐石料理を習っていた。今は中華を習っている。また今年から週1回エステに通っている。ベルリッツで英語の勉強もしている。

子供は生き甲斐。やはり結婚して子供を産んだ方がいいと思う。精神的に安定感がある。

子供（男の子）には白いシャツとグレーのズボンが似合う子になって欲しい。今、保育園に預けているが、膝小僧が白くなっている子がいるので、そういうふうにはなって欲しくない。中学は私立に行かせるだろうが、留学でもいいかも。食育に関心があり、いつかNPOにも参加しようかと思っているが、ハワイで3週間くらい農業体験させるサマースクールがあるので、子供にそういうスクールに行かせて、親は遊んでいるのもいいなと思う。

子供にはピアノを個人授業で習わせている。自分もピアノを習わされたので、息子にもピアノくらいはと思う。ビデオを見せっぱなしにしたりはしない。活字が嫌じゃない、本を読む子供にしたい。落ち着いた子供がよい。

以前は営業職だったが、それだと社内の女性に自分の10年後のモデルにできる先輩がいない。今は調査系なので、それだとモデルがいる。今の仕事を通じて知識を高めて、また

――いつか営業に戻りたいと思っている。

（3）かまやつ女系

四年制大学で経済学を学んでキャリアウーマンになるというタイプではないが、手に職をつけて働きたいと考えているタイプがいる。

学歴的には専門学校が多く、職業的には、美容師、ペットトリマー、菓子職人などなど資格職種や、デザイナー、ミュージシャンなどアーチスト系職種を目指すタイプである。これを私は、彼女たちのファッションの特徴から「かまやつ女系」と名付けたが（三浦展『「かまやつ女」の時代』参照）、まあ、より一般的には「手に職系」、ファッション的には「ストリート系」という呼び方でよいであろう。

「手に職志向」といっても、大きな向上心、上昇志向はない。自分に合う、自分らしい仕事を求める。人生に対して計画性、具体的な将来展望が弱い。

結婚して子供を持つことは望んでいるが、専業主婦志向はない。ファッションは郊外駅ビル（ルミネ）、古着屋などで買う。音楽、イラスト、漫画などサブカルチャーが好きである。

近年増加している「かまやつ女」

ただしこの「手に職系」は総合職女性や大企業の事務職女性と比べれば一般に収入が低く、かつ現実には一人前の職業人になる前に挫折してフリーターになるケースも多い。

拙著『仕事をしなければ、自分はみつからない。』を読んで取材に来た美容院業界向け某雑誌編集部の話によると、今は美容室の新規出店が多いので美容師学校の就職率は高い。しかし小さな美容室には就職したくないとか、大きな美容室に就職できてもすぐに辞めてしまう者は多い。そのため美容室側でも多めに新人を採用する。だから就職率は高いのだという。

最終的に自分の店を持つとか、フリーランスでかなり活躍するといったことがないと、30代になってからミリオネーゼ系やお嫁系との所得格差が拡大する確率が非常に高いと言える。

インタビュー　かまやつ女系女性

お金は普通に生活していけるくらいで……

23歳　フリーター（植木屋）

――1年間の洋服代はいくらですか？

「んーと……けっこう買ってるかも。10万もしないとは思うけど」

――世間一般と比べてあなたの生活レベルは１００点満点で何点ですか。

「世間一般？　生活レベルってどういう？」

――経済的な面もあるし、知力とか生活の質とか中身とかいろいろな意味で、教養とか、文化的な側面とか、全部ひっくるめて。

「ああ、どうなんでしょう。世間一般と比べて、ですよね。まぁ50点ぐらいですか」

――その理由は？

「まぁ植木屋さんをやっているってことで、東京にいてもちょっと自然と触れ合ったりできるし」

――マイナス面は？

「マイナスは、やっぱ、からだも使うし、自分の時間があんまりないっていうのと、からだを使うことによって、心もちょっとすぐ疲れちゃったりして」

――仕事によって豊かな気持ちになれるってわけではない？

「スピード社会だから、時間をかけて仕事をやりたいけれど、速くやらなきゃいけないから、自分がやりたいことができない。そういうのは、ちょっとつらいですよね」

――植木屋さんは、あこがれて入ったの？

「そうですね」

――生活への満足度は？

「30点ぐらいですかね」

――プラスの理由とマイナスの理由を教えて欲しいんだけど。

「東京来て、1年半ぐらいなんですけど、まだ。で、都会に揉《も》まれて、けっこう修業になったって感じです。まぁ、つらかったけど、それで今の自分がいられてよかったなって感じです」

――マイナスの理由は？

「ほんとは、もう、田舎に帰るんです。実家に帰って、自然の中で暮らしたいって感じですね。田舎にいたときスキー場で働いていたんですよ。そこで友達になった子が東京に出て行くって言って。その子が、部屋空いてるから一緒に住まない？って感じになって。まぁ、ちょっと遊びに来たって感じで1年半居座っちゃったみたいな」

――東京に留学に来たというか遊学に来たという感じ？

「そうそう、そんなところかな。そんな感じで」

――将来なりたい職業って？

「将来は、まだ、わからないんですけど……農業とか、ちょっと興味あるんですよね」

――ずっと仕事を続けていたい？

「そうですね。常に常に目指すものを持っていたいですね。とりあえず、マイペースにやっていきたいのはあるんですけど、しっかり、ちゃんとしなきゃいけないところはちゃんとして、やっぱ、家族とか友達とか、自分の大切にする人たちに対してはすごい真剣に接していきたい。親孝行もしたい。お金は普通に生活していける程度であればいいかなぁと思いますけど」

（4）ギャル系

ギャル系という呼び方もファッション的な外見からのネーミングだが、しかしこのギャル系は、価値観、人生観にも特徴がある。

渋谷の１０９前か、センター街でこういうギャルをつかまえてインタビューしてみればすぐにわかるが、彼女たちは、そのけばけばしい外見とは裏腹に、実は専業主婦志向が非常に強い。外見はいわゆる「お嫁さんにしたくなるタイプ」ではないが、彼女たちの多くは22、23歳で結婚して子供が2、３人いる家庭を夢見ているのである。

中には実際、22、23歳で子供がいるギャルもいるが、それはしばしば「できちゃった婚」であり、夫の経済力がない場合も多く、愛があるかどうかはわからないが、とにかくお金のないフリーター夫婦のような場合がしばしばである。

学歴は高卒、高校中退ないし専門学校卒が主だが、専門学校で勉強に挫折したり、就職しなかったり、してもすぐ辞めることが多い。よって現在の職業はかなりの確率でフリーター。職種はサービス系、販売系、福祉系、保育系などが多く、しばしば性風俗系職業にも流れが

ギャル系は若くしてママになる人が多い

ちである。親は比較的ブルーカラー層が多い。早婚、専業主婦、子持ち志向であるが、人生に対する計画性、将来予測能力は弱い。

大都市圏郊外、地方郊外に多く在住。

消費は、大型スーパー、各種安売り店で日用品から高級ブランドまで購入する。ガスト、サイゼリアなどの低価格ファミリーレストランを愛用。

ギャル系は、専業主婦志向であるが、出身階層から考えて、一流大学、一流企業の男性とは出会うチャンスは少なく、多くはガテン系（ブルーカラー系）の男性と出会う。鳶《とび》職人でも宅配便ドライバーでもラーメン屋経営でも、ばりばり働く夫を見つければ、ある程度リッチな専業主婦になる可能性もあるが、多くは低収入の男性と結婚することになり、しばしば自分自身もパートに出て働くことになる。しかし近年パートの時給も低下傾向にあり、夫婦合計の収入も伸び悩んでいる。

インタビュー　ギャル系女性

子供の教育とかはあまり考えない

19歳　保育系専門学校１年

——世間一般と比べて、現在のあなたの生活のレベルは１００点満点で何点くらいですか。

30点くらい。朝、ちゃんと起きれない。だらけすぎなので。

——現在の生活への満足度は。

40点くらい。父親がすごく厳しいので、早く家を出たい。

——結婚は?

結婚は専門を卒業したらすぐにでもしたい（ただし、現在彼氏なし）。専業主婦志向。仕事をしていたら夫と生活が合わなくなるから。子供は２人欲しい。22、23歳で産みたい。

——趣味は。

書道、お菓子作り。

——食品を買うところは。

コンビニ。バイト先のローソンで、バイト後に。

——日常衣料品を買うところは。

大宮ルミネ。

——ブランド品を買うところは。

大宮丸井。

——外食をするところは。

宮原や日進のサイゼリアが多い。日進のサイゼリアはサティの前にある。あと、大宮のファーストキッチンとか。

——今後の人生設計、キャリアアップについて、どう考えていますか。

保育士の資格さえ取れればいい。

——子供の教育はどこまでしたいと思いますか。

最低、高校まで。あとは本人の希望しだいで自由に。あ゛ま゛り゛教゛育゛と゛か゛は゛考゛え゛な゛い゛。

（5）普通のOL系

以上の4類型は、比較的際立ったわかりやすい例であるが、現実にはこの4類型のどれにも属さない、しかし人口の多い女性たちがいる。

つまり、専業主婦志向ではあるが、裕福な男性の争奪戦に敗れて（あるいは早々に戦線離脱して）今は未婚であり、だからといってミリオネーゼのように仕事に生き甲斐を見いだす意欲も能力も不足している。もちろんギャルになるにはそこそこ知性も学歴も高く、美容師やアーチストになるほどの美的センスや自己表現欲求はない。

だが、多少手に職系やサブカルチャー系の職業には関心があるので、自由な時間を増やすために派遣社員になり、「ケイコとマナブ」を読んでフラワー教室やらアロマテラピー教室やらゴスペル教室やらに通っては自分さがしと癒しとプチ自己表現に明け暮れている。しかし、とてもそれを仕事にするところまではいかず、ふと我に返って、簿記などの資格でも取ろうかなどと思ったりするが、しかしそんな資格を取ったら、ますます結婚が遠のくかしらとも思っている。

まあ、こんな感じの女性も多い。というか、実はこういう女性が最も多数派であろう。そこでこういう女性を一応「普通のＯＬ系」と呼んでおこう。

拡大する女性の格差

この女性の5類型は、ファッション、流行、雑誌などの傾向、および、私の日頃のマーケティング活動、調査、アンケートなどを踏まえながら導き出したものだが、単に女性の個人としての趣味を反映した結果ではなく、女性の中に生まれている格差を反映したものであると私は考えている。

樋口美雄教授によれば、家計経済研究所の「パネル調査」（１９９３年に24～34歳だった女性１５００人の追跡調査）の結果を分析すると、夫の所得の高い世帯において、近年、所得の高い正社員の妻が増え、従来の「高所得の夫と専業主婦」の組み合わせが崩れ、「高所得の夫婦同士」の組み合わせが増える兆しがある。そして、女性だけの所得のジニ係数も上昇しており、特に年収のある女性の所得格差が拡大しているという（樋口美雄編『日本の所得格差と社会階層』）。

女性の所得格差が拡大しているのは、もちろん総合職女性が増加する一方、派遣、パート、フリーター、派遣社員といった、加齢に応じて所得が増えない女性も増加しているためである。また、「高所得の夫婦同士」の組み合わせが増えているのは、まさにミリオネーゼ系女性の増加のためである。ミリオネーゼ系女性は自分の所得と職業地位にふさわしい男性と結婚し、就業を継続するため、高所得カップルが増加するのである。先述したように、そもそもミリオネーゼ系女性が男性と出会うチャンスは、同じ会社、同じ大学、取引先企業、あるいは親などの紹介などであり、そこで出会う男性は大抵高所得であるので、女性が就労継続すれば必然的に高所得夫婦が誕生するのである。

東京学芸大学の眞鍋倫子も1996年に日本労働研究機構が行った「女性の就業意識と就業行動に関する調査」の個票を再分析し、妻が正社員の場合には、夫の収入が高いほど妻の収入も高いという関係があることを指摘している（眞鍋倫子「既婚女性の就労と世帯所得間格差のゆくえ」本田由紀編『女性の就業と親子関係』）。

また大竹文雄大阪大学教授も「80年代は、低所得男性の配偶者ほど有業率が高」かったが、「90年代に入るとその関係は弱くなり、97年においては、夫の所得と妻の有業率の間には負の相関関係は観察されなくなっている」と述べている。逆に言えば「高所得の妻の比率は、高所得男性の方が高く、その相関は近年高まっている」。87年には、年収700万円以上の夫

表2-2　女性の結婚前の所得別に見た夫の所得

（%）

夫の所得 / 女性の結婚前の所得	n	400万円未満	400～599万円	600～799万円	800万円以上
200万円未満	58	48.3	32.8	15.5	3.4
200～399万円	110	25.5	41.8	17.3	15.5
400～599万円	52	3.8	36.5	36.5	23.1

資料：カルチャースタディーズ研究所+（株）読売広告社「女性2次調査」

を持つ妻で年収500万円以上である者は4%だったが、97年は8%に増えたという（大竹文雄『日本の不平等』）。

私の行った「女性2次調査」でも、結婚前の所得が高い女性ほど、結婚相手の男性の所得が高いという傾向が出た。結婚前の年間所得が400～599万円の女性は、配偶者の所得が600万円以上が59・6%であるが、結婚前所得が200～399万円の女性では32・8%、200万円未満の女性では18・9%だったのである（表2-2）。

女性も自己責任の時代

このように現在、女性の格差が拡大している。それはかつてのように、単に夫の所得の多寡《たか》に帰せられる格差ではない。自分自身が稼ぎ出す所得、その背景にある自分の学歴、その背景にある親の階層、そして自分自身の性格、容姿など、様々な要因によって形成されるライフスタイル全体の格差である。

30年ほど前まで、男性社会によって差別されていた女性たちは、ただ女性だからという理由で女性らしくしなければならないという差別を受けていた。その意味で、ほぼすべての女性が一つの「類」として平等であり、女であることだけを理由に共同戦線を張ることができた。女性という「類」だからという理由で差別されるということは、「個人」として十分に扱われなかったということであり、そういう差別は撤廃されねばならなかったからである。

たしかに、差別が撤廃されて男女平等が進めば進むほど男性との差別はなくなる。しかしそのかわり、女性であることの共同性は崩れ、ひとりひとりの女性が「個人」として、学歴、性格、容姿などのすべての要素によって評価され、選別され、差別される時代になったのだ。

しかも、その学歴、性格、容姿などが、純粋に個人の能力と努力だけの産物というわけではない。それらは親の階層によっても大きく規定されてしまう可能性が高い。男女の差別、男女間の階層性ではなく、女性同士の差別、そして個々の女性の背景にある親の階層性による差別が、今、拡大しているのだ。

就職できれば「勝ち組」？

さて、男性の場合、結婚退職という人生はないし、均等法の影響もないので、女性ほどドラスティックな変化はない。それでも成果主義の導入、起業家の増加、他方ではフリーターの増加、さらに晩婚化などの要素が絡み合うことで、30歳くらいになると、やはりいくつかの類型に分化してゆく。

財団法人社会経済生産性本部が毎年新入社員に対して行っている「働くことの意識調査」の２００５年度版によると、全体の77・１％が「(就職活動において自分は) どちらかといえば勝ち組」と回答したという(対象は３９１０名。男性57％、女性43％)。

就職したくらいでなぜ勝ち組かといぶかりたくなるが、これだけ就職氷河期が長期化すると、就職できたということ自体が勝ち組意識をもたらすのだろう。

学歴別に見ても、勝ち組意識は各種学校卒で88・９％、短大卒で84・０％であり、むしろ大卒の方が勝ち組意識は弱い。大学は出たけれど、必ずしも希望の会社に入れなかったという、学歴と就職先企業とのギャップが大卒の方が大きいのかも知れない。

また、「あなたは進路を決めるにあたって、〝フリーターになってしまうかもしれない〟と思いましたか」という質問には、全体の35・６％が「はい」と回答している。

これも学歴別に見ると、短大、各種学校では44・４％、普通高校では43・１％、専修学校・専門学校では39・6％、職業高校では34・0％、四年制大学では33・7％、工業専門学校では28・6％、大学院では25・6％となっており、勝ち組意識と同様、低学歴者の方が数字が高い。比較的低学歴の人により強くフリーターへの恐怖があり、それだけに就職できたことへの安堵感《あんどかん》、満足感が倍加し、勝ち組意識をもたらしたのだろうか。

男性の分裂

このように、今や就職できるかどうかの時点で勝ち組意識が決まる時代になっている。さらに言えば、そもそも現在、若者が就職できるかどうかは、本人の実力はもちろんだが、親の階層に規定されているという見方も可能だ。

事実、労働政策研究・研修機構の調査によれば、15〜34歳の若者を正社員、フリーター、失業者、無業者と4分類すると、親を含めた世帯全体の所得が高いほど正社員が多く、低いほど無業者が多いという相関があるという（『若者就業支援の現状と課題』）。

つまり、そもそも正規職員として雇用されるような人間になっていること自体が、親の所得階層とその階層性に基づく生活と価値観などによって規定されているとも言えるのである。

よって、就職できたから勝ち組なのではなく、そもそも勝ち組だから就職できたのかも知れないのだ。

放送大学教授の宮本みち子は『若者が〈社会的弱者〉に転落する』で、90年代以降、高卒者がほぼ自動的に就職できる雇用システムが崩壊したために、90年代以前のリッチなパラサイトシングルとは異なる、弱者としての若者が増大したことを指摘した。

しかしもちろん、若者のすべてが弱者に転落したわけではない。結局、若者が弱者と強者に分裂、二極化したのだ。

高い階層の親から生まれた者は、学習塾と私立中高一貫校に進み、より高い学歴を得て、よりよい仕事につきやすい。低い階層の親から生まれた者は、公立の学校にしか行かず、学歴が低く、高卒でとまりがちであり、よい仕事につきにくく、失業者、無業者になりやすい。やや極端に言えば、そういう現実が進行してきたのである。どうもそういう現実が先の生産性本部の調査にも反映しているような気がしてならない。

しかも、就職後の状況も昔とは違う。同じ会社に同じ学歴で入れば、40歳くらいまではほぼ横並びで、あまり給与格差がなかった時代に比べれば、今は、30歳くらいで差がつき始める、競争の激しい社会だ。バリバリ働いて出世コースに乗るか、マイペースで働いて適度に昇進すればいいと考えるかという態度決定をしないといけない。その態度決定が、男性をいくつかの類型に分裂させることになるだろう（図２－３）。

（１）ヤングエグゼクティブ系

高所得志向で出世志向も強い従来型のビジネスマン。

当然比較的高学歴であり、性格的にもポジティブで趣味はスポーツなど外向的。結婚、家族形成も当然すべきことと考え、まったく迷いがない。

一流企業志向であり、典型的には商社、金融、ＩＴ系に多い。時節柄、外資系志向、起業家志向、独立志向を持つ者も少なくない。

消費面では、住宅、インテリア、財テク、旅行志向が強く、外車好きである。もちろんネットトレードはしている。

しかし自分自身の独自の個性的な価値観はなく、あくまで、人がよいと思い、欲しいと思うものをいち早く手に入れることに喜びを感じるタイプである。

よって、六本木ヒルズ、港区の三井不動産のマンション、ＢＭＷ、ロレックス、タグ・ホイヤーなど、わかりやすいステイタスが好き。ビジネス用のバッグはお約束でＴＵＭＩかゼロハリバートン。

他方、文化的な趣味志向は弱い。どちらかといえば体育会系、営業系で、ゴルフとテニスが好きというタイプ。

このヤングエグゼクティブ系については「欲求調査」をベースにしたクラスタ（＝集団）分析でも30〜40代の男性の約１割、特に新人類世代男性の17％を占めるクラスタとして出現している（カルチャースタディーズ研究所と博報堂の共同研究「階層化と有望市場に関する研究」による）。

階層意識は「上」27・２％、「中」50・０％、「下」22・７％。所得は７００〜１５００万円が45・４％と全クラスタ中二番目に高く、生活満足度点数は80点以上が50・５％と全クラスタ中最も高い。

全員が既婚であり、家族形態は夫婦と子供からなる世帯が７割近くを占め、妻は短大卒が46％で、55％が現在無職という典型的な標準世帯である。「妻は専業主婦で家事や育児に専念できるのが望ましい」と考える者が４割を超え、全クラスタ中最も多い。

仕事面では成果主義、能力主義に賛成する者が７割以上を占め、年功序列・終身雇用がよいと思う者は13・６％と少ない。

趣味は音楽鑑賞、コンサート、楽器演奏、ゴルフ、テニスが多めだが、園芸・ガーデニング、ＤＩＹ・日曜大工、旅行、ドライブ、キャンプ・アウトドアも多いなど家族中心の消費型ライフスタイルである。テレビ局ではフジテレビ好きなのは、20代の時に漫才ブーム、ひょうきん族、笑っていいともなどを見てきたためであろうか。

支持政党はない。政治嫌いの新人類世代の典型的な傾向が出ている。

生活の中で大事にしていることでは「創造性」は非常に少なく「ステイタス」がやや多い。幸せを感じるときは「家族といるとき」が73％と非常に高く、「子供といるとき」「妻と二人でいるとき」もかなり高い。

子育てについては外国語を身につけることを望む者が多く、特に女の子に対しては73％がそれを望んでいる。

消費面では、「世の中で話題になっているものはひと通りチェックする」が7割近くおり、「衝動買い」「本当に気に入ったものは価格にこだわらず手に入れる」「一流ブランドの商品を選ぶようにしている」「ブランド品は正規代理店や百貨店で買う」も多いなど、流行に敏感で消費意欲が高く、やや見栄っ張りなクラスタである。そういえば彼らの学生時代には『見栄講座』という本が売れた。

腕時計ではタグ・ホイヤー所有者が23％もおり、好きな車メーカーはＢＭＷが45・5％と非常に高い。

食器洗い乾燥機、ＤＶＤレコーダー、光ケーブルインターネットの導入率もかなり高く、今後はハイブリッド車、乾燥機一体型洗濯機、サイクロン掃除機、マッサージチェア、床暖房、地上波デジタル放送、定期的な海外旅行を希望するなど、企業が提案する通りの物を欲しがり、購入する、新し物好きの消費者である。

(2) ロハス系

ロハス（ＬＯＨＡＳ）とは、「Lifestyle of Health and Sustainability」（健康で持続可能な生活様式）を意味する。いわゆるスローライフ志向である。

この志向を持つ者は比較的高学歴、高所得だが、出世志向が弱い。マイペースで自分の好きな仕事をしていきたいと考えるタイプだが、嫌な仕事でもそつなくこなす業務処理能力もあるので、フリーターになるタイプとは異なる。ヤングエグゼクティブ系の男に対しては、教養がなくて暑苦しい奴だと内心軽蔑している。

自分の趣味の時間を増やしたいと考えているが、とはいえ忙しいので、それほど趣味の時間が多く取れるわけではない。よって、雑誌、本などを見て代償する日々が続く。雑誌で言えば『ソトコト』『サライ』を愛読するタイプ。

会社の仕事だけでなく、社会活動、NPOなどにも関心があり、環境問題についてのセミナーなどにも個人的に参加するようにしている。

家族は共働きがやや多く、妻は高学歴であり、お嫁系の『VERY』型専業主婦というよりは、映画・演劇など文化志向が強い。

消費面では、有名高級ブランドには関心が弱いが、ひとひねりしたそこそこのものを買うのが自分らしいかなと思っている。外車が好きだが、ベンツやBMWではなく、できればジャガーやプジョーがよいと思っている。高級感や値段でおどかすものより、知性と上品さが重要。品質、製造方法、伝統、文化などについての蘊蓄《うんちく》があるものを好む。よって無印良品もやや好き。環境問題に熱心なアウトドアウエアメーカーのパタゴニアなども支持する。

古本、骨董、真空管アンプ、中古家具、古民家など、やや古めかしいアナログ趣味の世界に浸《ひた》るのも好き。いつかコーポラティブハウスでそういう自分の好きな世界を具現化した家に住みたいと思っている。都市機構が作った江東区東雲の住宅に応募するタイプ。

また、インターネットに自分のサイトを作って、会社以外に人脈を作るのにも熱心。いつか会社を辞めたときに、その人脈が役立つだろうと思っている。

ロハス系についても、「欲求調査」をベースにしたクラスタ分析で30〜40代の男性の約1割を占めるクラスタとして出現している（カルチャースタディーズ研究所と博報堂の共同研究「階層化と有望市場に関する研究」による）。

階層意識は「上」33・4％、「中」33・3％、「下」33・3％と、ちょうど3分の1ずつであり、所得は500〜700万円の層が最も多い。

生活水準の高い人のイメージとして「無駄のない簡素な暮らしをしている」「一流大学を卒業している」「芸術や文学に詳しい」「日本の文化や歴史に詳しい」「西洋の文化や歴史に詳しい」「政治経済情勢に詳しい」という回答が他のクラスタより多い。

しかし生活満足度は80点以上が38％と、ヤングエグゼクティブ系よりは低い。

趣味は「読書」「美術鑑賞」「園芸・ガーデニング」「旅行」「散歩」が多く、生活の中で大事にしていることとしては「創造性」が高い。

また「ボランティア活動を行っている」「社会貢献や国際貢献活動をしている」「自然や環境に配慮した暮らしをしている」「海外留学や海外駐在の経験がある」という人も多く、支持政党は民主党がやや多い。

消費面では、「世の中で話題になっているものはひと通りチェックする」「流行モノと聞くとすぐ欲しくなる」「衝動買いをしてしまう」という人が少なく、情報や流行に流されないタイプである。現在は「定期的な海外旅行」を行っている人が多く、今後の希望としては「大学・大学院に通う」「海外留学・海外移住」が多い。

好きな車種としてクラウン、セルシオを挙げる人は14％ほどなのに、マーチ、キューブは25％前後と、小型車志向が強い。またプリウスが33・3％というのも特徴的である。

(3) SPA!系

雑誌『SPA!』の主要読者層と思われる「中」から「下」にかけてのホワイトカラー系男性。

特に勤勉ではなく、仕事好きでもないし、才能もないが、フリーターになるようなタイプではなく、仕事をするしかないので仕事をしているというタイプ。

ブランド志向は強くないが、オメガなどは普通にディスカウント店で購入。でもスーツは

図２-３　男性の類型化

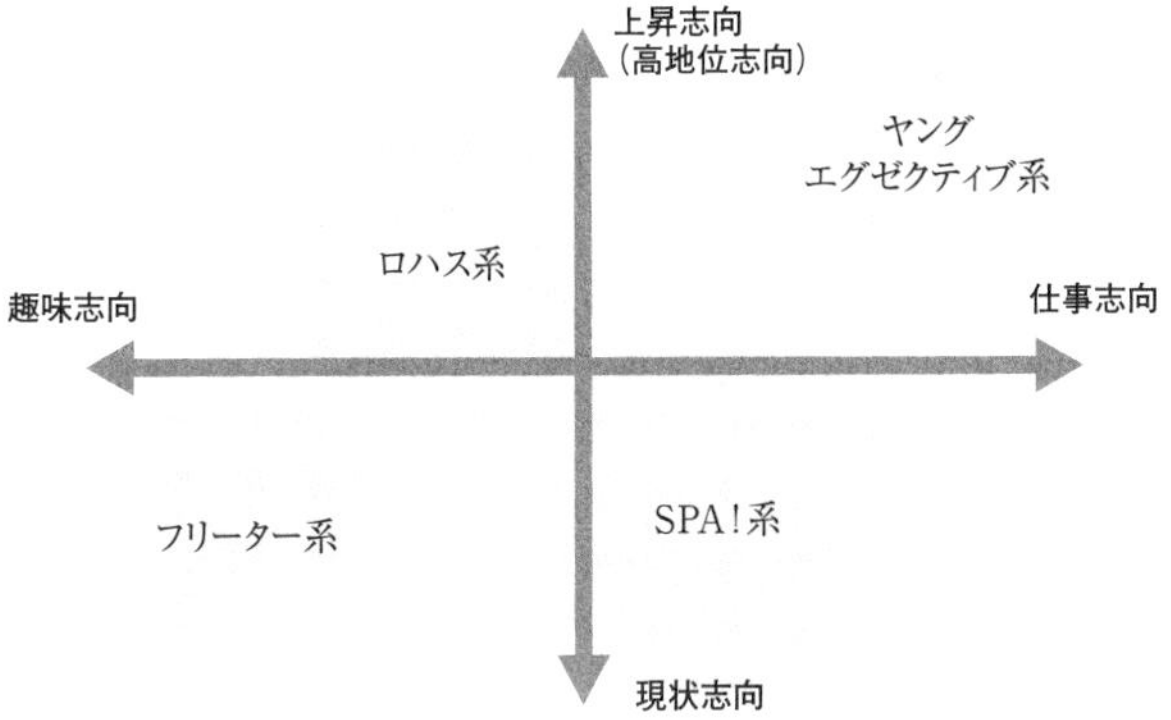

資料：カルチャースタディーズ研究所作成

スーツカンパニーでもいいし、ユニクロはよく買う。

あまり高級な趣味はないが、サブカル好き。オタクと言われない程度にオタク趣味を持つ。ガンダムが一般常識という典型的団塊ジュニアであり、異常でない程度にロリコン趣味や格闘技系趣味を持つ。

パチンコなどギャンブルも好き。高校時代にカラオケボックスに入り浸った者が多い。キャバクラ、アダルトビデオなどに金をつぎ込む者も少なくない。

ロハス系と同様、できればもっと趣味の時間を増やしたいと思っているが、仕事の要領がよい方ではないので残業が多い。週60時間以上労働を過去数年続けている。

いずれは結婚して親とは別に戸建て住宅を買うだろうとぼんやりと人生を計画し、貯金もそれなりにしているが、それがいつになるか決め手がない。『週刊プレイボーイ』のグラビアアイドルみたいな女の子が突然目の前に現れて結婚できないものかと妄想する日々が続く。

地方出身者なら地方に帰ってもう少し楽に生きることを望むのだが、大都市圏郊外出身者が多いのがこの世代。帰るべき故郷はない。だから、ずっとサラリーマンを続けて、親が買った郊外の家から都心まで通勤しなければならないのが悩みである。

インタビュー　SPA!系

のんびり長期休暇を取って、早めにリタイアしたい

29歳　地方公務員　年収400万円台　貯金700万円

パラサイトシングルなので自由に使える金額は月15万円ほどだが、実際に使っているのは7万程度。残りは貯金。結婚は35歳頃までにしたい。共働きを希望。

生活レベルは70点。マイナスは、自由時間が少ない（平日は平均23時頃帰宅のため）。

家（居住スペース）が狭い。

生活への満足度は40点。マイナスは、自由時間が少ないため、趣味から遠ざかり、友人と疎遠になりがち。プラスは、自分一人の判断で自由にお金が使える。

価値観は、自分の人生をきちんと設計して、将来に備えて勉強したり、貯金したりしたい。マイペースで働いて、収入はそこそこでもいいから、のんびり生きたい。家族や友人と和やかに暮らしたい。

日常衣料品はスーパーやデパート（＝ジャスコ、サティ、そごう）で買う。ブランド品には関心はない。電気製品は地元量販店デオデオかベスト電器、価格コムで買う。

今後買いたいものは特になし。やりたいことは長期休暇を取り、のんびり過ごす。資産運用に関心はある。キャリアアップにはさほど関心はない。人生設計は結婚後に検討予定。できれば早めにリタイアしたい。

（４）フリーター系

20〜34歳の広義のフリーターは４００万人を超えるといわれる。もちろんその半数は男性だ。自分らしく生きたい、好きなことを仕事にしたい、本当にやりたいことをやりたいなどと言って、正社員になることを拒んでいるうちに30歳になり、それでも自分らしさも好きな仕事も本当にやりたいこともみつからず、急に焦っている。将来に不安を感じた者の中には、遅ればせながら定職に就く者もいる。

収入が少ないので、衣食住すべてにお金をかけられないが、自分の好きな趣味にはお金を集中投下する。

インタビュー　フリーター系男性

今の自分じゃよくないなって思い始めて……

26歳　デザイナー　所得200万円強　貯金ゼロ

大学を留年して卒業後、アルバイトをしていましたが、こんな仕事を続けていても将来がないと思い、小さなデザイン会社に就職しました。年収はバイト時代よりも低いくらいで月18万円くらいです。ボーナスは、儲かったときに出るって話で、去年は4回出たらしいんですが、今年はまだ出てません。

　部屋代は5万5000円。食事は朝は食べない。昼は牛丼か普通の店かって感じですから、平均すると1日600円くらいですかね。夜は8時か9時に家に帰るので、自分で作って食べてます。家から自転車で行けるところにジャスコがあるんで。パスタとかゴーヤチャンプルとかも作りますよ。自分で作る方が安くてうまいし。家の近くにショップ99があれば使いたいです。100円ショップもあれば乾電池とか買いに行くだろうな。

　だから食費は月に3万円くらいなはずなんで、光熱費とか払っても、月に7、8万円は自由に使えるはずなんですが、僕は、ちょくちょくジュースを買ったり、たばこを買ったりするんで、それで結構お金がなくなっていくみたいで、特に何に使ったってわけじゃないのに、お金はなくなりますね。だから貯金はゼロです。

　でも音楽が好きなんで、楽器とか機材は買います。インターネットのオークションとかで安く買うんですが、この前はでっかいハモンドオルガンを1万円で買いました。あと、液晶プロジェクターも1万円で買って、DVDプレイヤーつないで見てます。いつかハモンドオルガンのいいやつとか、フェンダーローズとかウーリッツァのヴィンテージものの電子ピアノを買いたい。

中古は大好き。新品じゃないってことは全然気にならない。楽器も本も服もみんなまずは中古で安いのを探します。

洋服代はあまりかけないし、下着はユニクロで買うことも多いですけど、アウターはやっぱり値段が高い方が着心地もいいですよね。それと最近は、26歳になったし、今までは古着とかでもよかったんだけど、やっぱり少し洋服にも高いやつが欲しくなった。ヨージ・ヤマモトとか、何か考えがあってデザインされている服はやっぱりいいですね。ぼろぼろの服に、すごく高いカバンを持って歩くなんていうのもかっこいいかなって思います。

これからしたいことは海外旅行。最近、ロスアンジェルスにいた叔母が亡くなったんで、葬式に行ったんですが、それで、海外に行きたくなった。行き先は欧米がいいです。やっぱ、欧米の音楽や文化にかぶれて生きてきたんで。

あと、僕は出不精で、音楽が好きなんで、家の中にいることが多いんだけど、それはよくないなって思い始めて。面白いことにめぐりあえないなって。今後はもう少し活動的にした方がいいかなって思います。スポーツとかも、それなりにしてみたいって感じで。

この前彼女にふられたんです。彼女は美大の予備校の同級で、僕は浪人したけど彼女は現役で入学、僕は留年したけど彼女はちゃんと卒業して大手アパレルで店舗デザインの仕事をしてます。だから社会人としては2年僕の方が遅れてるんで、そういうこともあって、いろいろ、こう、やっぱり今の自分じゃだめなんだって、今までの自分を肯定したくないって気持ちがあって。彼女はてきぱきした感じの人ですから。

仕事は、まだ就職して3カ月ですから、自信はない。今の仕事はクライアントに言われたとおりにレイアウトするだけなんで好きでもない。けど、がんばればいつかむくわれると思いたい。これがオレの仕事だって思える仕事をガーってやって、それであとはのんびり過ごすみたいなのが理想かな。趣味が仕事になれば理想です。

自分らしさは必要だと思います。僕の自分らしさですか？　あんまりわかんないけど、へそまがりなところかな。

生活水準？　うーん……「中の中」でしょう。将来の年収は、とりあえず400～600万円くらいにはしたいです。

第3章　団塊ジュニアの「下流化」は進む！

団塊ジュニア男性は「下」が48％！

本章ではまず、昭和ヒトケタ世代、団塊世代、新人類世代、団塊ジュニア世代を比較した「欲求調査」をもとに4世代の世代別・男女別の階層意識を比較する。

なおサンプルは1都3県在住の800人で、世代別・男女別に各100人である。

階層意識は、具体的な質問としては「あなたの生活水準は次のどれにあてはまると思いますか」と尋ね、「上」「中の上」「中の中」「中の下」「下」の5つから1つを選択させた。

しかし普通、自分を「上」とか「下」とか言う人はあまりいない。内閣府の調査でも「上」は0・7％、「下」は6・5％にすぎない。

「欲求調査」でも「上」と答えたのは団塊ジュニア男性、新人類男性、団塊世代女性、昭和ヒトケタ女性で各1名＝1％であり、その他はすべてゼロだった。

他方、「下」と答えたのは下記の通り。

団塊ジュニア男性	10％
団塊ジュニア女性	4％
新人類男性	8％
新人類女性	6％
団塊世代男性	2％
団塊世代女性	2％
昭和ヒトケタ男性	5％
昭和ヒトケタ女性	2％

800名中39名、約5％であり、内閣府調査と大差はない。

しかし、団塊世代以上では「下」と答える人が少ないのに対して、新人類世代以下では「下」は7％存在し、特に団塊ジュニア男性では10％もいるのである。これは本調査が消費生活について詳しく尋ねるものであったために、団塊世代以上では、そもそも消費に対して

表3-1　世代別・男女別階層意識

（％）

		n	上	中	下
団塊ジュニア	男性	100	12	40	48
	女性	100	17	52	31
新人類	男性	100	16	48	36
	女性	100	13	52	35
団塊	男性	100	14	48	37
	女性	100	13	58	29
昭和ヒトケタ	男性	100	9	56	34
	女性	100	14	67	18

資料：カルチャースタディーズ研究所＋（株）イー・ファルコン「欲求調査」

消極的な低所得層があまり回答しなかったためとも思われる。

次に「上」と「中の上」を合わせて「上」、「中の中」を「中」、「中の下」と「下」を合わせて「下」とした結果を見ると、団塊ジュニア男性は世代別・男女別で最も階層意識が低いことがわかる。48％が「下」なのである（表3‐1）。「下」が48％というのは、１９５８年の内閣府調査に近い結果だ。

それに対して団塊ジュニア女性はやや階層意識が高めである。また団塊ジュニア女性や新人類男性の階層意識はすでに「上」と「中」がほぼ1対3となっており、２０１X年モデルと似てきている。こうした点から、すでに比較的若い世代において、階層の二極化が進

表3-2　女性の年齢別階層意識

(%)

	n	上	中	下
18〜22歳	500	16.2	41.6	42.2
23〜27歳	500	7.6	39.0	53.4
28〜32歳	500	10.2	44.4	45.4
33〜37歳	500	10.6	48.4	41.0

資料：カルチャースタディーズ研究所＋(株)読売広告社「女性1次調査」

んでいると言える可能性はある。

ただし2005年5月に行った「女性1次調査」では、28〜32歳の女性の階層意識は「上」が10・2％、「下」が45・4％、33〜37歳では「上」が10・6％、「下」が41・0％であり、「欲求調査」と比べるとかなり「下」が多かった（表3-2）。質問内容から考えて、「女性1次調査」の方がより低い階層の人が多く答えているはずである。つまり、「欲求調査」の30〜34歳の女性は階層意識が高めにぶれている可能性がある。

また内閣府の「国民生活に関する世論調査」では30〜34歳の男性の「上」が8・5％、「中」が47・2％、「下」が39・8％であり、「欲求調査」とさほど大差はない。女性は

（単位:%）

'85	'86	'87	'88	'89	'90	'91	'92	'93	'94	'95	'96	'97	'99	'01	'02	'03	'04
11.9	6.3	8.0	9.4	11.0	9.4	11.6	14.5	14.1	12.4	7.7	14.2	19.3	16.0	13.6	17.7	11.8	10.6
49.3	44.9	55.7	52.0	54.6	53.0	45.3	52.0	54.4	56.5	56.4	60.6	46.0	50.6	47.0	50.3	61.5	42.6
32.9	43.5	33.0	32.2	29.4	33.2	33.1	28.5	24.7	26.5	29.5	21.3	29.0	28.2	31.8	27.4	23.7	36.2
9.3	6.2	9.7	10.3	6.0	4.7	4.3	7.5	15.2	10.2	6.7	12.3	13.6	7.8	10.3	10.0	8.8	8.9
48.7	46.5	49.3	48.6	49.3	47.9	55.9	46.9	52.0	50.0	60.6	51.5	53.7	55.0	52.7	58.1	54.7	49.4
39.8	42.3	40.1	39.5	39.8	44.2	37.5	44.0	28.7	35.9	30.0	34.0	31.0	34.4	33.7	28.0	33.3	38.4
7.2	2.6	6.5	5.6	3.8	9.4	7.3	11.8	6.5	7.6	10.9	14.1	7.9	10.0	6.1	10.8	7.9	8.5
51.2	53.7	51.8	50.7	54.5	49.4	58.4	49.4	53.8	57.2	58.2	49.6	63.3	58.0	57.4	50.0	50.8	47.2
40.3	40.5	40.6	43.0	40.2	38.7	31.0	35.5	37.7	32.7	29.6	34.3	28.4	30.6	34.3	36.6	39.0	39.8
3.2	5.6	5.4	4.1	7.2	6.4	5.9	6.3	11.5	12.2	10.0	9.7	10.7	11.7	12.2	12.0	7.1	13.6
52.7	47.7	50.3	49.5	48.8	53.2	56.0	59.5	48.6	51.3	56.6	55.5	61.1	54.8	52.4	52.9	60.7	53.6
42.1	44.0	41.5	42.9	41.4	39.2	36.7	32.5	37.8	35.3	30.3	30.8	26.5	30.9	34.0	32.6	31.0	29.0
5.3	5.3	9.1	6.9	8.7	6.2	9.0	10.8	6.9	11.3	11.5	7.2	8.9	8.4	10.7	10.8	14.3	8.7
49.0	50.9	48.0	52.5	51.3	52.2	53.6	48.2	56.5	50.7	50.9	61.5	52.8	60.9	52.4	55.0	55.4	58.1
43.0	41.8	40.3	39.4	37.4	39.3	34.7	38.2	34.9	34.3	34.8	27.9	36.2	29.9	35.2	31.7	28.4	32.0
4.5	6.6	7.0	5.6	7.7	7.1	8.0	11.0	10.6	11.6	12.7	11.5	7.8	8.7	12.4	9.0	8.8	10.2
51.5	47.0	46.5	47.6	44.9	49.6	47.3	47.2	52.0	49.5	57.4	53.1	52.1	52.3	54.6	60.4	54.0	53.4
42.1	43.6	42.8	44.5	44.4	40.5	40.7	37.6	34.7	37.1	27.9	33.1	38.2	35.3	32.2	30.6	34.8	35.4
5.4	6.9	7.6	9.2	5.2	8.3	12.4	12.1	11.7	9.5	10.2	9.2	9.3	10.0	9.0	9.3	11.4	6.8
51.6	49.9	52.8	51.9	52.2	48.3	51.3	49.5	53.7	50.1	52.5	55.7	54.2	55.1	53.7	50.7	53.8	50.0
42.2	41.0	37.2	37.5	39.4	39.1	34.4	34.6	32.9	36.3	34.2	32.7	34.7	33.1	34.9	38.3	33.6	41.3
6.3	8.2	10.3	9.0	5.6	9.8	9.4	15.6	13.3	12.6	8.8	9.6	8.9	9.4	10.8	9.7	11.6	11.8
49.3	50.1	52.4	53.6	52.2	52.3	54.1	48.4	49.1	49.1	56.3	55.7	56.1	55.5	50.6	52.4	47.2	48.5
43.2	39.6	35.5	36.0	38.0	36.7	35.1	34.7	35.0	35.8	32.4	32.8	32.3	34.0	36.1	35.0	39.4	37.0
9.7	8.1	6.6	4.7	6.8	8.4	7.3	11.1	13.4	9.6	9.5	11.5	8.3	9.0	10.8	11.6	9.8	9.4
48.5	47.9	51.0	47.2	49.1	55.2	46.7	53.3	49.0	54.1	54.6	48.3	57.3	49.9	48.7	50.6	51.0	48.8
38.8	42.7	40.8	46.3	41.5	33.5	43.0	32.7	35.0	35.0	33.9	37.6	33.3	38.9	38.5	34.9	37.7	39.1
6.0	6.1	6.1	6.9	5.7	6.5	7.3	8.9	14.4	12.0	13.2	11.8	8.8	8.1	8.3	8.1	11.6	10.1
45.2	47.2	45.1	46.0	51.2	46.7	51.6	53.7	51.6	53.8	56.3	57.1	49.2	53.0	51.9	55.0	52.5	49.3
46.0	43.4	45.1	44.1	41.1	44.5	38.6	31.3	32.0	31.7	28.4	29.7	38.6	37.5	36.4	35.5	33.4	39.4
7.1	5.3	7.1	7.8	3.7	9.2	11.4	8.7	14.0	11.1	10.5	10.6	9.7	11.1	9.5	10.3	13.2	11.9
46.8	45.4	46.6	44.9	42.0	44.6	50.5	43.2	54.5	52.8	51.4	55.5	50.1	51.6	57.7	54.0	49.0	47.1
41.9	42.3	43.9	41.3	50.5	41.7	32.8	41.9	28.0	31.7	34.2	27.3	37.7	34.9	30.1	32.1	35.6	37.6

資料：内閣府「国民生活に関する世論調査」

表3-3　階層意識の変化

年齢層別［男性］

		'70	'71	'72	'73	'74	'75	'76	'77	'78	'79	'80	'81	'82	'83	'84
20～24	上	7.1	8.6	7.8	7.2	7.1	7.6	7.7	11.4	7.5	11.5	7.9	12.5	8.8	11.7	7.5
	中	55.9	58.2	60.8	61.8	52.4	61.2	55.9	59.1	49.7	57.1	57.4	47.8	55.1	54.0	54.8
	下	32.6	30.2	28.1	27.8	33.7	25.9	31.7	24.6	31.2	26.2	31.4	35.9	29.8	28.4	34.9
25～29	上					8.2	8.4	7.2	9.0	7.1	8.0	6.3	6.7	6.0	7.5	4.7
	中					55.8	59.1	63.3	55.3	58.2	57.5	54.1	53.5	55.2	53.2	59.9
	下					33.4	28.5	28.6	32.0	30.3	31.7	38.6	36.9	36.1	38.2	30.7
30～34	上	5.6	6.6	6.5	6.7	6.5	6.7	7.7	7.3	6.7	7.5	6.9	7.9	6.6	7.6	5.7
	中	58.7	58.6	61.7	60.8	59.8	61.2	57.3	58.9	56.0	59.6	52.8	53.1	57.0	48.3	56.3
	下	33.5	31.9	28.8	30.0	31.1	28.6	32.7	31.0	34.0	30.1	38.6	34.8	34.2	42.3	35.9
35～39	上														9.0	7.6
	中														52.8	50.6
	下														35.8	38.5
40～44	上	8.6	7.1	6.7	7.7	6.1	9.0	9.5	6.1	7.5	9.0	7.7	8.7	8.4	5.1	8.7
	中	58.1	59.4	60.6	61.0	57.9	60.9	56.0	59.5	56.1	59.3	55.0	55.5	52.3	52.7	53.9
	下	30.8	30.8	30.4	29.2	32.8	27.6	31.9	30.8	33.6	29.4	34.8	33.0	36.8	38.4	35.6
45～49	上														9.4	9.7
	中														49.0	52.2
	下														38.4	35.1
50～54	上	9.7	8.1	7.4	8.4	9.8	8.6	8.6	10.7	7.3	10.2	9.1	9.2	6.9	8.8	8.9
	中	56.0	58.3	59.6	57.1	56.6	57.7	55.5	52.5	57.2	59.0	48.5	52.8	51.6	50.7	47.7
	下	32.1	31.6	30.4	31.8	31.1	31.8	33.6	32.7	32.5	27.8	39.3	35.9	38.7	37.9	40.9
55～59	上														8.2	8.6
	中														53.5	52.7
	下														35.9	37.5
60～64	上	8.8	8.3	8.8	7.6	6.1	8.1	8.7	8.0	11.4	9.0	9.0	7.3	8.2	6.9	7.0
	中	46.0	48.6	52.3	53.9	51.5	58.9	47.8	51.2	51.9	56.0	47.3	47.6	51.7	51.5	51.8
	下	40.9	38.9	34.3	35.8	36.8	31.1	40.2	36.8	33.1	32.3	40.2	42.1	36.2	39.3	39.7
65～69	上														8.7	8.6
	中														45.9	45.7
	下														42.3	42.4
70以上	上				8.4	10.6	7.2	12.7	7.8	11.7	8.9	6.4	10.1	7.9	9.4	4.4
	中				53.4	48.2	49.0	48.1	52.2	45.4	51.4	46.1	47.9	44.3	45.9	42.9
	下				30.6	34.4	35.9	31.8	33.3	37.5	32.3	38.5	37.8	42.1	39.1	47.3

（注）20代の'70～'73年、30代以上の'70～'82年は、5歳階級ごとの集計がないので、10歳階級ごとの数値を各年齢層の上段に記入してある。

（単位：%）

'85	'86	'87	'88	'89	'90	'91	'92	'93	'94	'95	'96	'97	'99	'01	'02	'03	'04
10.3	11.2	9.7	10.0	5.6	14.0	9.6	12.5	19.2	11.7	12.3	23.1	17.1	19.6	21.0	17.4	18.6	14.4
59.5	66.0	63.6	59.5	65.5	61.5	65.2	60.9	57.8	61.2	67.0	57.9	61.1	54.9	62.8	61.9	60.1	55.1
25.9	19.1	24.4	21.5	24.4	19.5	20.2	16.9	18.2	22.4	15.0	17.0	18.2	19.0	14.8	16.1	18.0	22.8
8.8	5.8	5.5	6.4	9.5	8.6	10.4	9.5	11.2	9.2	11.8	10.8	8.8	10.0	11.5	9.3	13.0	11.9
68.9	65.3	65.7	63.3	62.9	66.8	61.7	64.0	63.9	61.9	58.5	64.7	63.0	66.3	62.1	62.5	54.2	58.2
19.8	25.1	27.0	28.0	23.8	21.8	23.8	24.4	22.6	23.8	24.7	21.2	25.6	21.3	25.1	24.3	30.5	26.8
7.5	6.0	5.2	8.7	8.3	9.3	6.7	8.9	10.6	10.1	10.0	10.1	12.2	9.4	9.9	9.8	10.7	8.9
62.8	61.1	63.6	65.2	62.8	61.2	66.7	63.8	63.1	63.2	67.2	67.5	59.8	62.6	55.7	57.8	61.8	53.8
27.2	29.0	28.9	23.8	27.2	27.7	24.1	25.4	23.4	23.2	20.9	20.4	25.9	25.5	31.9	31.0	26.3	32.6
8.1	7.8	6.1	7.2	8.0	11.9	8.7	13.0	12.9	11.1	13.5	13.1	12.9	9.8	11.6	8.7	8.6	9.3
57.3	53.3	60.0	56.1	56.7	53.0	59.9	59.5	61.9	61.4	61.4	63.6	63.0	61.8	59.4	67.4	56.2	61.6
32.3	35.8	31.0	34.1	32.4	32.2	28.3	25.4	23.5	25.7	23.4	20.3	21.7	25.4	24.8	21.1	33.2	28.4
6.6	5.0	8.2	7.8	8.9	11.0	7.2	12.2	12.6	8.7	10.5	9.6	11.6	13.4	12.0	12.0	11.7	11.1
60.7	53.6	54.3	56.6	55.3	55.6	58.3	55.4	58.2	62.5	64.0	63.8	62.2	59.4	61.0	59.8	62.2	58.6
30.6	38.1	35.1	32.2	33.0	30.7	33.8	29.7	26.6	28.0	23.6	24.4	23.3	24.7	25.9	23.3	23.7	28.6
7.6	6.8	8.8	8.5	7.0	10.0	9.5	14.2	13.5	14.9	10.0	13.5	12.6	11.5	9.2	12.1	10.9	9.0
53.7	50.6	52.7	57.0	59.1	54.5	53.7	56.7	55.0	56.3	63.3	60.8	56.1	56.7	60.2	56.5	56.9	62.3
36.5	39.5	35.3	31.3	32.3	31.9	34.6	26.5	28.3	26.1	24.0	22.7	28.8	29.3	29.0	30.1	30.1	28.1
8.3	9.0	9.4	5.3	7.9	11.8	6.8	13.9	12.6	12.2	12.5	12.0	12.0	11.1	7.1	11.1	9.9	10.5
57.4	51.6	55.6	58.1	51.2	54.0	53.7	53.6	57.0	54.7	58.2	57.6	59.0	55.0	56.7	58.5	54.7	57.1
32.0	36.3	32.5	35.7	37.2	32.1	36.3	29.1	26.6	31.2	26.8	29.0	27.8	31.2	34.7	28.2	32.5	30.2
6.0	7.2	11.9	9.5	9.2	6.0	8.3	11.4	13.0	10.8	11.0	10.4	10.4	10.3	13.0	11.0	10.5	11.4
53.8	57.2	47.8	47.6	48.2	59.8	51.8	54.2	53.7	54.5	53.8	58.0	55.8	59.2	57.2	55.3	54.8	53.8
38.4	33.5	37.7	39.3	40.5	31.6	37.4	30.6	29.9	32.6	32.9	28.8	31.8	28.0	27.1	30.4	31.6	31.4
6.3	7.4	9.2	7.2	6.2	9.2	6.4	11.7	12.2	10.3	10.4	9.4	9.2	7.0	9.3	9.3	9.1	10.5
51.3	51.4	45.8	48.8	52.0	48.1	52.5	53.5	55.7	52.3	52.8	58.9	57.9	56.7	56.3	55.2	53.3	55.9
39.3	35.7	42.5	39.7	37.6	39.1	36.5	29.8	29.4	33.8	32.1	28.7	29.3	33.9	32.3	34.2	33.3	30.2
3.0	4.6	5.3	5.5	6.7	8.9	5.7	9.1	11.7	10.4	9.7	8.9	8.2	8.1	9.3	8.9	10.2	9.5
45.2	48.9	52.5	44.0	38.1	45.3	52.8	52.9	46.9	55.6	57.8	55.1	51.7	57.1	57.0	59.2	59.5	49.3
46.2	40.7	35.4	46.3	49.6	40.4	37.0	31.6	34.9	30.4	28.7	31.9	36.7	31.5	30.7	28.2	28.6	38.6
7.4	7.2	5.8	7.3	7.7	7.2	7.2	10.0	11.9	10.5	9.7	9.8	8.1	9.4	9.3	9.0	12.2	9.9
44.2	39.0	38.7	47.2	40.0	49.2	46.0	49.0	47.5	45.0	48.3	48.6	52.8	51.1	55.2	53.9	49.6	49.4
37.2	43.2	46.2	38.8	43.4	36.8	37.3	30.8	32.3	35.1	33.3	31.6	32.1	33.3	30.3	30.3	32.7	32.0

資料：内閣府「国民生活に関する世論調査」

表3-3　階層意識の変化

年齢層別［女性］

		'70	'71	'72	'73	'74	'75	'76	'77	'78	'79	'80	'81	'82	'83	'84
20〜24	上	7.2	7.9	8.3	8.8	8.2	11.2	12.2	8.5	10.9	14.5	11.6	11.6	10.2	12.1	12.7
	中	62.9	65.4	67.7	66.0	67.5	70.9	74.0	73.6	69.2	66.5	64.8	60.6	65.8	65.1	64.9
	下	26.3	23.4	19.3	21.9	21.0	15.6	12.1	15.6	17.5	15.0	20.6	21.6	20.0	20.2	19.4
25〜29	上					7.0	10.7	9.5	8.2	6.7	10.7	8.8	8.8	8.3	8.7	10.4
	中					67.5	66.8	64.7	69.3	71.5	69.3	61.9	55.7	62.6	66.8	64.7
	下					22.3	19.6	22.3	19.8	20.0	18.1	26.5	31.8	25.6	22.8	23.4
30〜34	上	6.9	7.6	7.0	7.4	6.5	7.1	10.1	9.6	8.5	8.8	7.4	7.6	7.7	7.3	9.3
	中	60.1	60.2	67.4	65.9	62.1	66.4	61.4	63.2	63.5	65.5	60.0	60.8	61.8	61.5	63.9
	下	29.7	28.5	22.8	24.3	28.4	23.8	25.7	23.5	25.1	22.9	30.3	28.9	28.0	29.1	25.0
35〜39	上														7.5	8.3
	中														59.2	60.5
	下														30.5	28.6
40〜44	上	8.5	8.5	8.3	7.8	8.1	10.1	9.7	7.4	9.6	9.3	7.6	9.5	8.2	8.3	11.2
	中	56.8	58.1	60.4	63.3	59.2	60.2	61.8	63.5	58.3	65.4	56.6	55.7	55.2	56.7	56.4
	下	31.0	30.2	27.9	26.0	30.6	26.8	26.0	25.7	27.6	23.0	32.8	30.8	33.0	30.7	28.5
45〜49	上														7.8	9.2
	中														63.0	52.1
	下														27.4	34.8
50〜54	上	6.6	7.3	6.2	6.1	7.3	8.7	8.9	8.1	7.7	8.7	12.0	8.7	8.6	7.7	8.5
	中	51.9	53.0	60.5	58.9	53.4	54.6	55.6	57.5	57.9	58.1	52.5	55.0	54.0	56.5	56.6
	下	37.8	36.3	30.3	32.0	35.5	33.7	30.9	29.2	31.0	30.3	31.2	33.1	35.4	32.0	32.2
55〜59	上														8.0	7.4
	中														56.0	55.6
	下														34.3	32.7
60〜64	上	4.6	5.7	5.7	5.8	6.5	7.4	8.1	6.6	7.9	6.9	4.9	7.7	6.6	6.9	7.8
	中	46.9	47.5	51.4	53.4	48.8	54.9	52.0	49.5	50.8	53.5	46.4	49.0	46.9	45.8	46.8
	下	41.2	28.2	34.4	34.7	39.1	30.9	35.5	38.3	37.1	33.7	43.5	38.5	40.9	42.9	42.1
65〜69	上														7.7	5.9
	中														45.0	46.5
	下														41.1	42.1
70以上	上				8.0	6.1	6.0	6.7	7.4	6.1	5.7	4.8	7.4	8.3	9.0	6.2
	中				47.8	40.6	45.2	49.6	51.2	50.5	47.8	47.6	43.1	36.4	44.9	42.1
	下				33.5	42.2	30.1	33.1	27.8	29.2	34.7	36.2	36.6	42.1	35.5	37.7

（注）20代の'70〜'73年、30代以上の'70〜'82年は、5歳階級ごとの集計がないので、10歳階級ごとの数値を各年齢層の上段に記入してある。

図3-1　階層意識の推移（団塊ジュニア世代・男性）

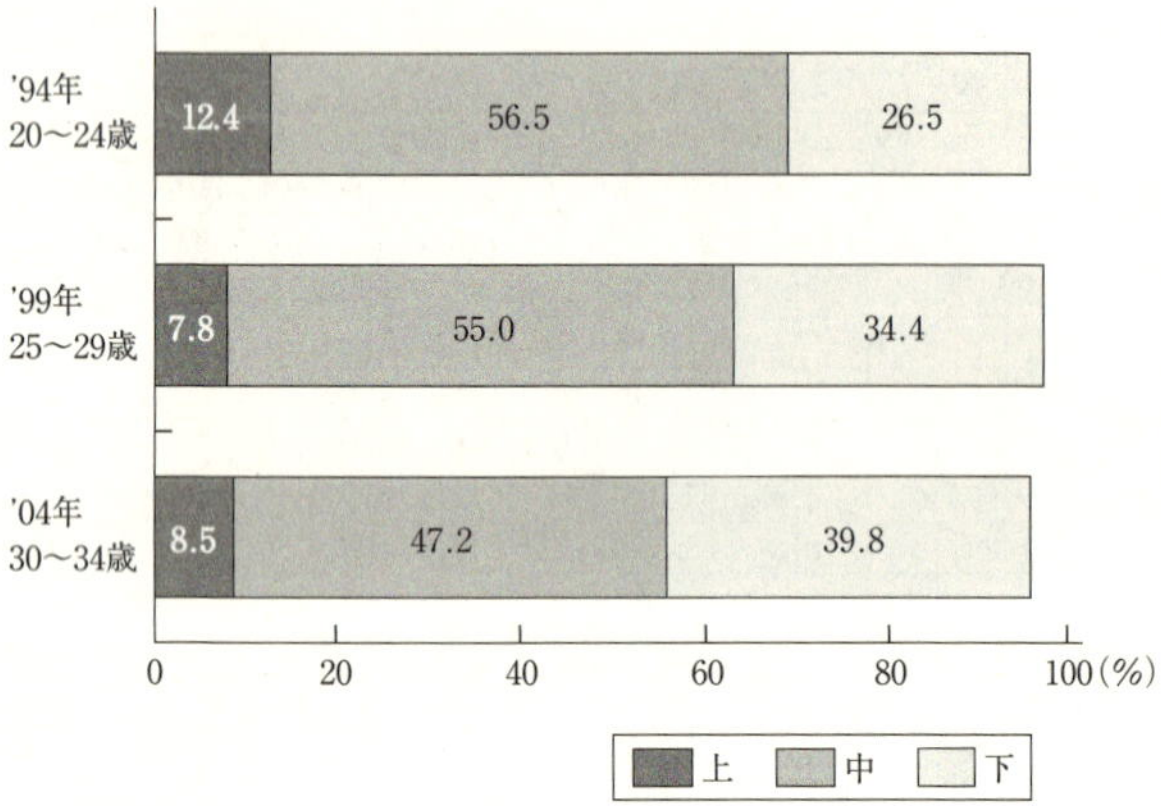

資料：内閣府「国民生活に関する世論調査」を元にカルチャースタディーズ研究所が作成

「上」が8・9%、「中」が53・8%、「下」が32・6%なので、つまり「女性1次調査」ではやはり「下」が多めである。

ちなみに内閣府調査のサンプル数は2004年の30～34歳男性246人、女性325人であり、「女性1次調査」の方がサンプル数が多いので、統計学的には信憑性《しんぴょうせい》が高いはずだ。

また、「女性1次調査」は、1都3県在住者の調査であることによる違いもあると思われる。

つまり、大都市圏の方が給与格差が大きい。しかも比較的ホワイトカラーが多く、近年成果主義的給与制度が進んでいるので、給与格差が拡大している。

図３-２　階層意識の推移（団塊ジュニア世代・女性）

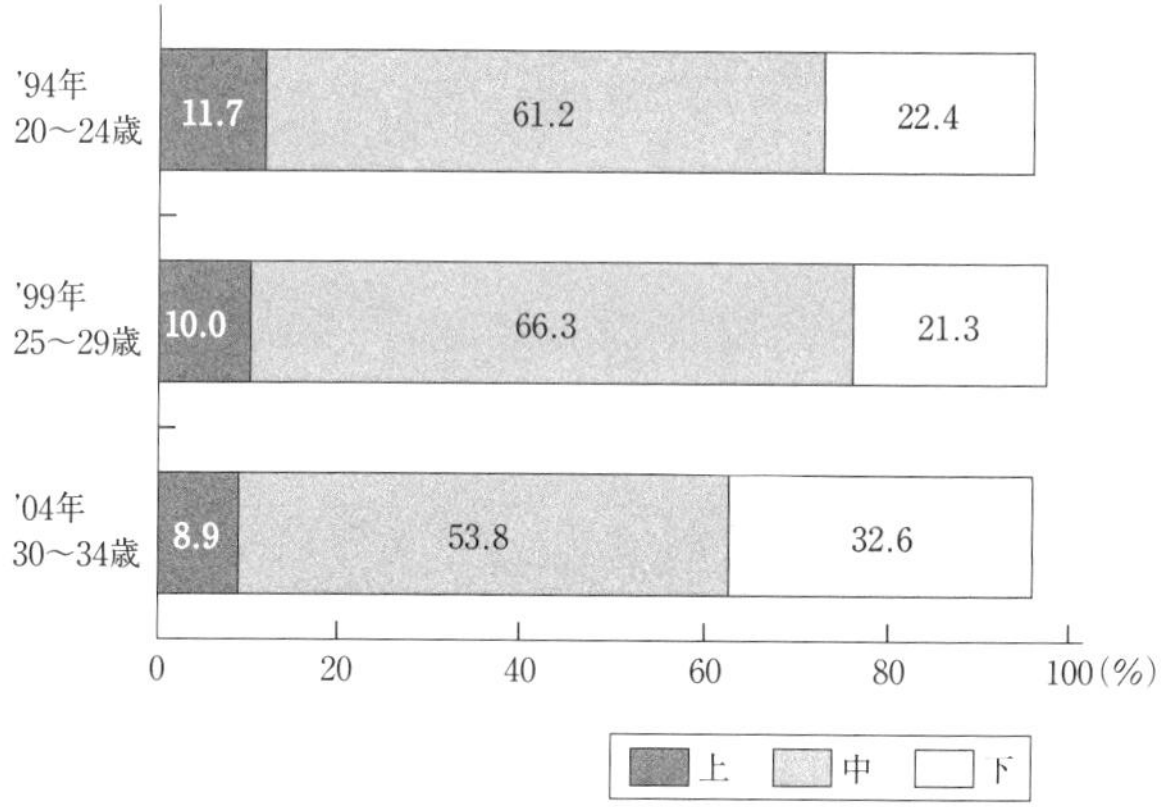

資料：内閣府「国民生活に関する世論調査」を元にカルチャースタディーズ研究所が作成

また、後に見るように30歳を過ぎると未婚であることは階層意識を低下させるので、晩婚化の激しい大都市圏では、より「下」が増えるとも考えられる。

団塊ジュニアの階層意識はどんどん下がっている

また、内閣府のデータを、世代別に見ると、若い世代ほど階層意識が低下していることに気づく。たとえば第２次ベビーブーム世代に当たる94年の20～24歳の男性は「下」が26・5％だったが、99年に25～29歳となると34・4％、04年に30～34歳となると39・8％と、10年で13・3ポイントも増加している（図３-１）。

図3-3　階層意識の推移（真性団塊ジュニア世代・男性）

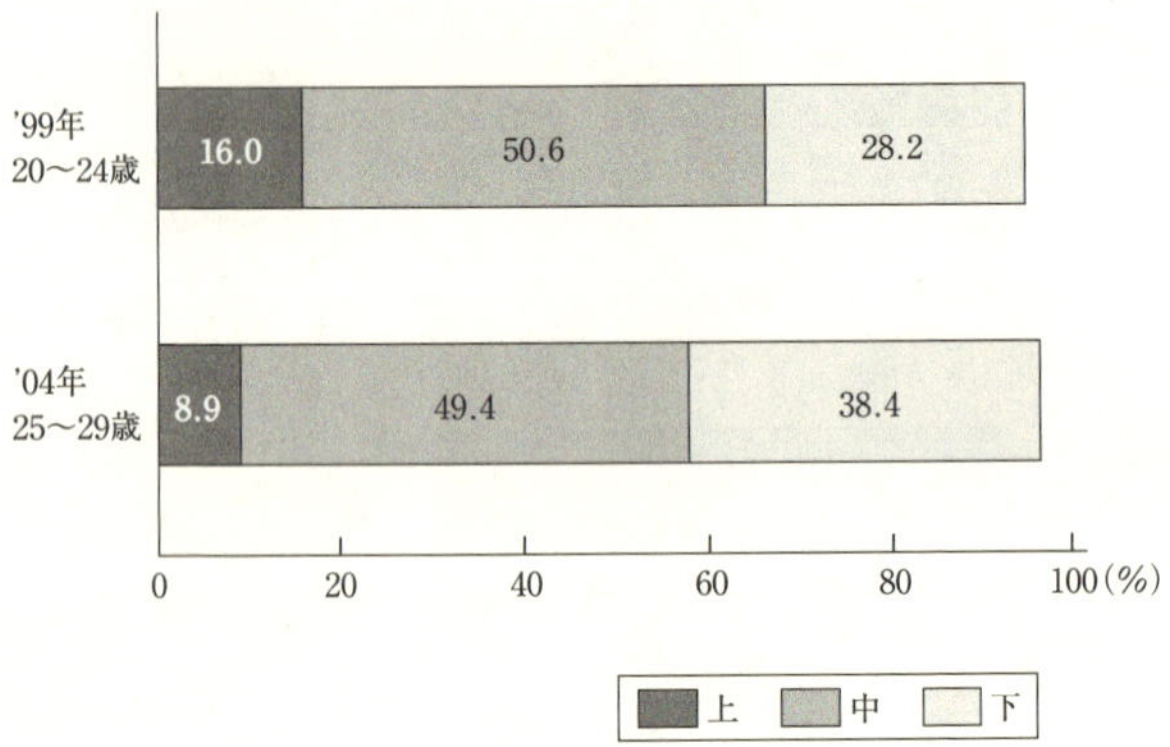

資料：内閣府「国民生活に関する世論調査」を元にカルチャースタディーズ研究所が作成

39・8%という数字は男性の50〜54歳の41・3%に次いで多いうえ、10年で13・3ポイントの増加という増え方は他のどの世代よりも大きい。

同様に94年の20〜24歳の女性は「下」が22・4%であり、99年に25〜29歳となった時は21・3%で、ほとんど変化がないが、30〜34歳（04年）では「下」が32・6%で、5年で11・3ポイントも増えている（図3-2）。

また「下」が32・6%という数字は女性では65〜69歳に次いで高い数字であり、10年で10・2ポイントという増加はやはり女性の他のどの世代と比べても大きい。

以上のように、団塊ジュニア世代は、男女ともに、この10年間で最も階層意識を低下さ

図３-４　階層意識の推移（真性団塊ジュニア世代・女性）

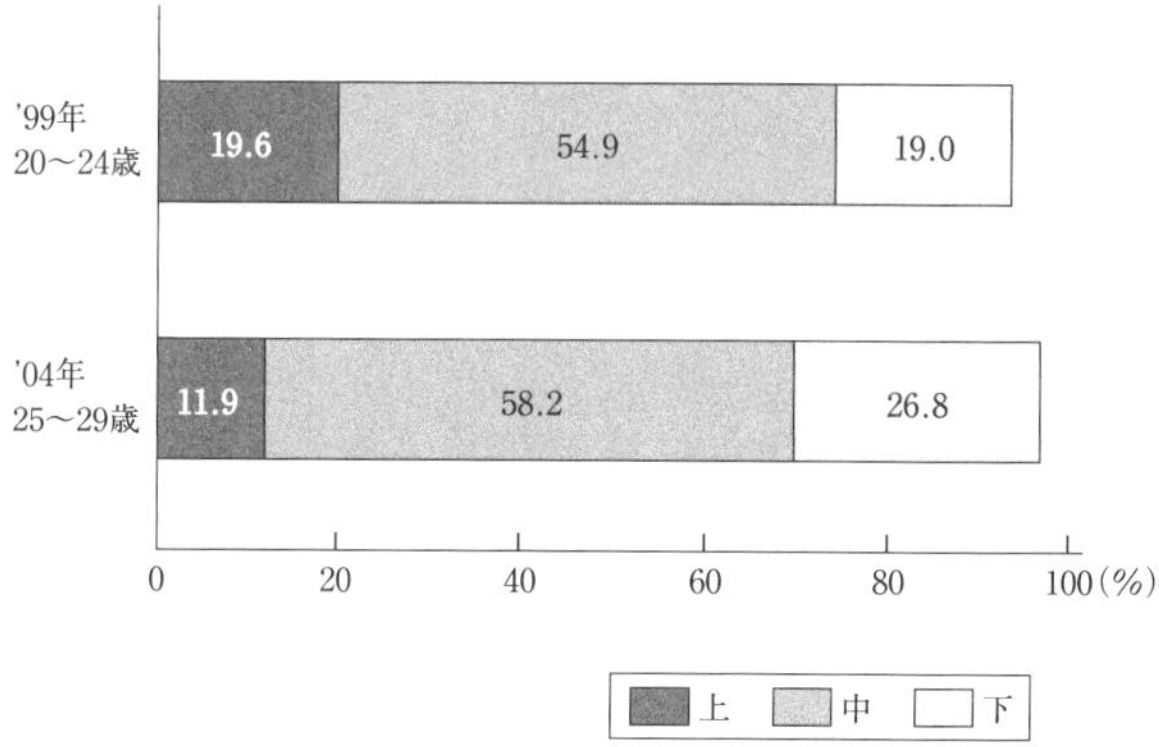

資料：内閣府「国民生活に関する世論調査」を元にカルチャースタディーズ研究所が作成

せた世代だと言えるのである。

真性団塊ジュニアも「下」が急増

第２次ベビーブーム世代より５歳若い「真性団塊ジュニア世代」はどうか。

男性は、99年の20〜24歳の時は「下」が28・２％だったのが、04年の25〜29歳では38・４％と10・２ポイントも増えている。また「上」は16・０％から８・９％に半減している（図３‐３）。

女性も同様で「下」が19・０％から26・８％に増え、「上」が19・６％から11・９％に減っている（図３‐４）。

20〜24歳以降階層意識が低下するのは、学生から社会人になったり、結婚、出産という試練をくぐり抜けたりするためと考えれば、世代を越えた普遍的な現象とも思われる。

それに加えて真性団塊ジュニア世代は、ちょうどその時期に大きな景気後退に遭遇したため、「上」の減少と「下」の増加が顕著なのであろう。男性の「下」がたった5年で10・2ポイント増加という増え方は、他のどの世代よりも大きいし、同じく女性の「下」が7・8ポイント増加という増え方も団塊ジュニア女性に次いで大きい。

ちなみに20~24歳の男性で「上」が最も多かったのは97年であり、19・3%。96年から02年にかけて「上」が15%前後と多い（図3-5）。

同じく女性は96年であり、なんと23・1%もいる。そしてやはり96年から03年にかけて「上」が20%前後と多い。

それと比べると、84年の20~24歳、つまり新人類世代の男性は「上」が7・5%しかいなかった。同じ年の25~29歳、つまり1955~59年生まれ（私もそこに属する）は「上」がなんとわずか4・7%である。

高度消費社会の到来と呼ばれた80年代も、若者にとってはまだまだ貧しい社会だったのだ。

消費社会に酔いしれていた真性団塊ジュニア世代

図3-5　20～24歳の男女の階層意識「上」の割合

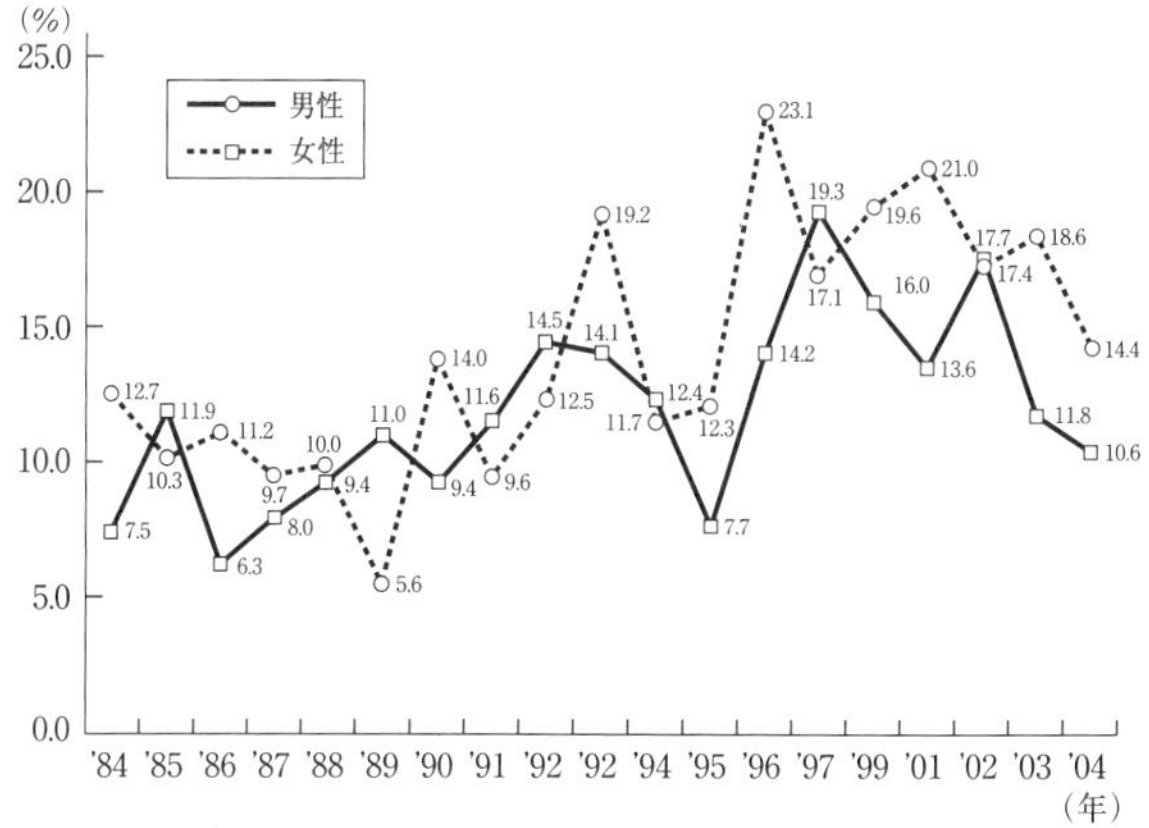

資料：内閣府「国民生活に関する世論調査」を元にカルチャースタディーズ研究所が作成

96～03年の20～24歳は72～83年生まれにあたり、私の定義する「真性団塊ジュニア世代」（73～80年生まれ）とほぼ一致する。つまり団塊世代の父母を最も多く持つ世代なのである（三浦展『仕事をしなければ、自分はみつからない。』参照）。

彼らの親である団塊世代は、92～96年にほぼ45～49歳であるが、この時代の45～49歳は「上」が11%前後と比較的多い。女性も同様で「上」が13～14%と高い。

つまり団塊世代にとっては、バブルがはじけたとはいえ、92～96年頃に部長になり、景気もやや上向き、所得も伸び、最も階層意識を高めていた時期なのである。しかし、97年以降は、山一証券の破綻などで景気が後退し、リストラ、早期退職も盛んとなるなど、階層意識が低下していくのである。

そしてその子供たちである真性団塊ジュニア世代は、92〜96年頃に中学、高校生、大学という時期であり、社会の荒波を知らずに、所得の伸びた親のすねをかじりつくして消費生活に酔いしれ、踊り狂い始めていた。

折から、一時は1ドル80円にまで進んだ円高により海外製品が安価で輸入されるようになり、自動車も腕時計もファッションも海外の高級ブランドを簡単に手に入れられるようになった。物欲主義者の団塊世代の欲望がすべて満たされる社会になっていた。こうしたなかで真性団塊ジュニア世代は史上最高の階層意識を持つに至ったのである。

だからおそらく20歳未満のデータがあれば、92〜96年頃は20〜30%が「上」と回答した可能性すらある。その余波が、03年まで続いたのである。

しかし真性団塊ジュニア世代も社会に出て25〜29歳となれば社会の厳しさも知る。また、消費中毒ですっかり勤労意欲をなくした者はフリーターとなり、さらに失業者、無業者を大量発生させた。当然これらの者の階層意識は低下する。結果、04年の25〜29歳の階層意識は低下したのであろう。

あとは悪くなるだけという不安――普通の人に展望がない

このように、現在の30歳前後の世代は、少年期に非常に豊かな消費生活を享受してしまった世代であるため、今後は年をとればとるほど消費生活の水準が落ちていくという不安が大きい。これは現在の40歳以上にはない感覚である。

現在の40歳以上の世代の場合は、少年期は貧しく、20代、30代と加齢するにつれて消費生活が豊かになり、生活水準が向上していった。だから、仕事が大変でも耐えることができた。簡単に言えば、アメとムチがうまく機能した。

ところが、現在の30歳前後の世代は、少年期の消費生活が豊かすぎたために、社会に出てからは、自由に使える金と時間の減少としか感じられない。これから結婚して、子供を産もうという年齢の時に、将来の消費生活の向上が確信できないのだから、階層意識が一気に低下するのもやむをえないであろう。

だから、極端に言えば、こんな時代に結婚するのは、将来への希望のある人と、希望も計画もなく「できちゃった婚」をしてしまう人のどちらかだと言うことができる。普通の所得の人が、今後の所得の伸びを普通に期待しながら結婚し、子育てをするという展望が描きにくい時代になっているのである。

図3-6　階層意識の推移(団塊世代・男性)

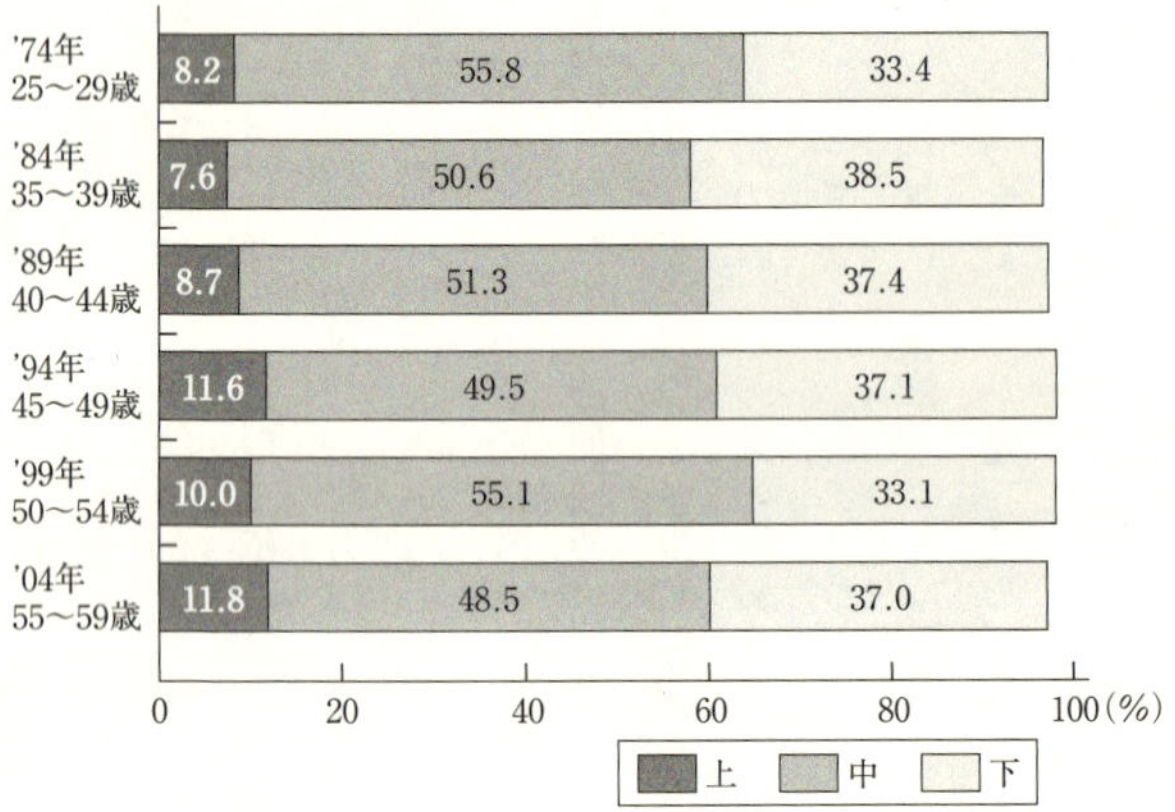

資料:内閣府「国民生活に関する世論調査」を元にカルチャースタディーズ研究所が作成

団塊世代や新人類世代は安定した中流だった

他方、団塊世代の男性は、25～29歳でまだ独身者の多かった74年には「中」が55・8%、「下」が33・4%だったが、子育て期にあった35～39歳の84年には「中」が50・6%、「下」が38・5%と、やや階層意識が低下しているものの、低下の幅は団塊ジュニアよりかなり小さい(図3-6)。

また84年から99年にかけては、着実に「下」が減っており、団塊世代の生活が次第にゆとりを持っていったことがわかる。

しかし04年には「下」が増えたが、「上」も増え、「中」は減るというように、「中」から「上」と「下」に二極化したらしいことが

図3-7　階層意識の推移(団塊世代・女性)

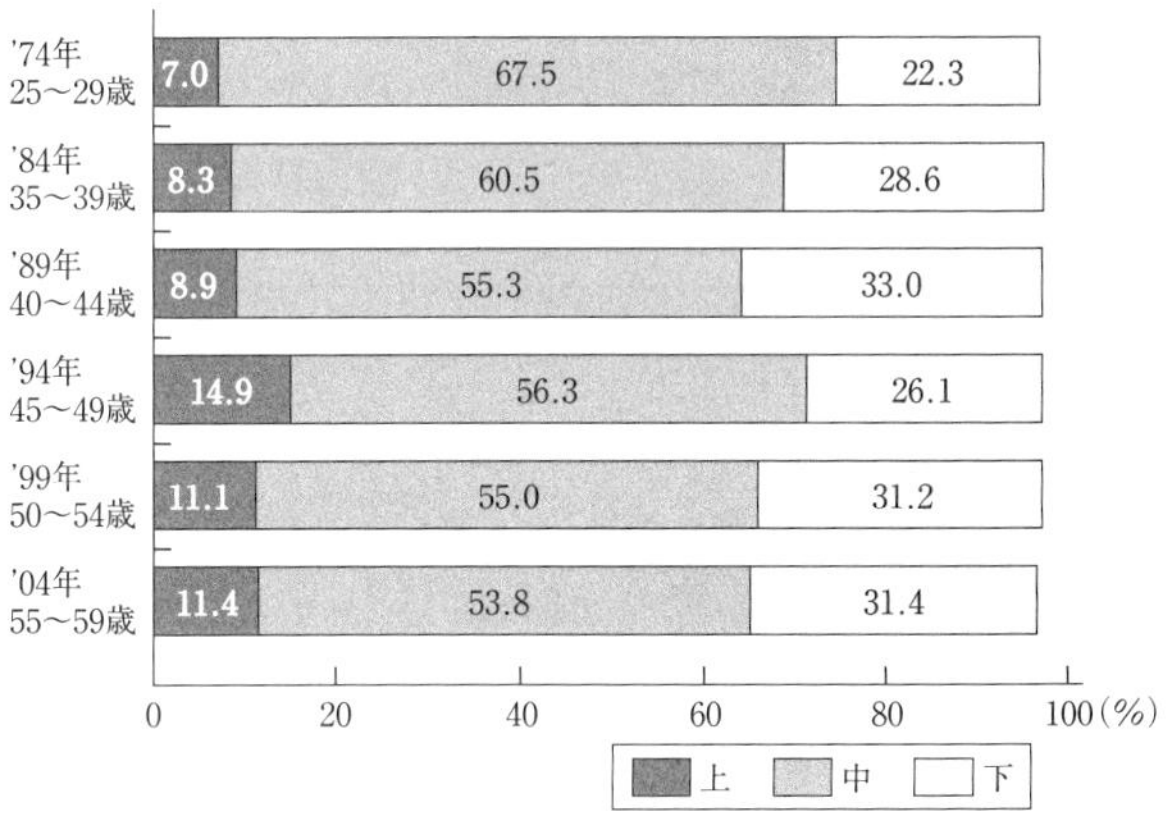

資料：内閣府「国民生活に関する世論調査」を元にカルチャースタディーズ研究所が作成

わかる。リストラされた人と役員に出世した人といった差が出たのであろう。

それに対して団塊世代の女性は、74年から89年にかけて「中」が減り「下」が増えている(図3-7)。

しかしそれ以後は、ほぼ一貫して「下」は3割程度、「中」が55%前後であり、あまり大きな変化はない。団塊世代女性は非常に安定した中流意識を持ち続けた人たちなのだ。

団塊世代より15歳若い新人類世代はどうか。男性は84年から04年にかけて、さほど大きな変化はない(図3-8)。

ただしバブル時代の89年に「下」が5ポイントほど増え、「中」が5ポイントほど減ったのは、当時まだ住宅購入前だった彼らが、

図3-8　階層意識の推移（新人類世代・男性）

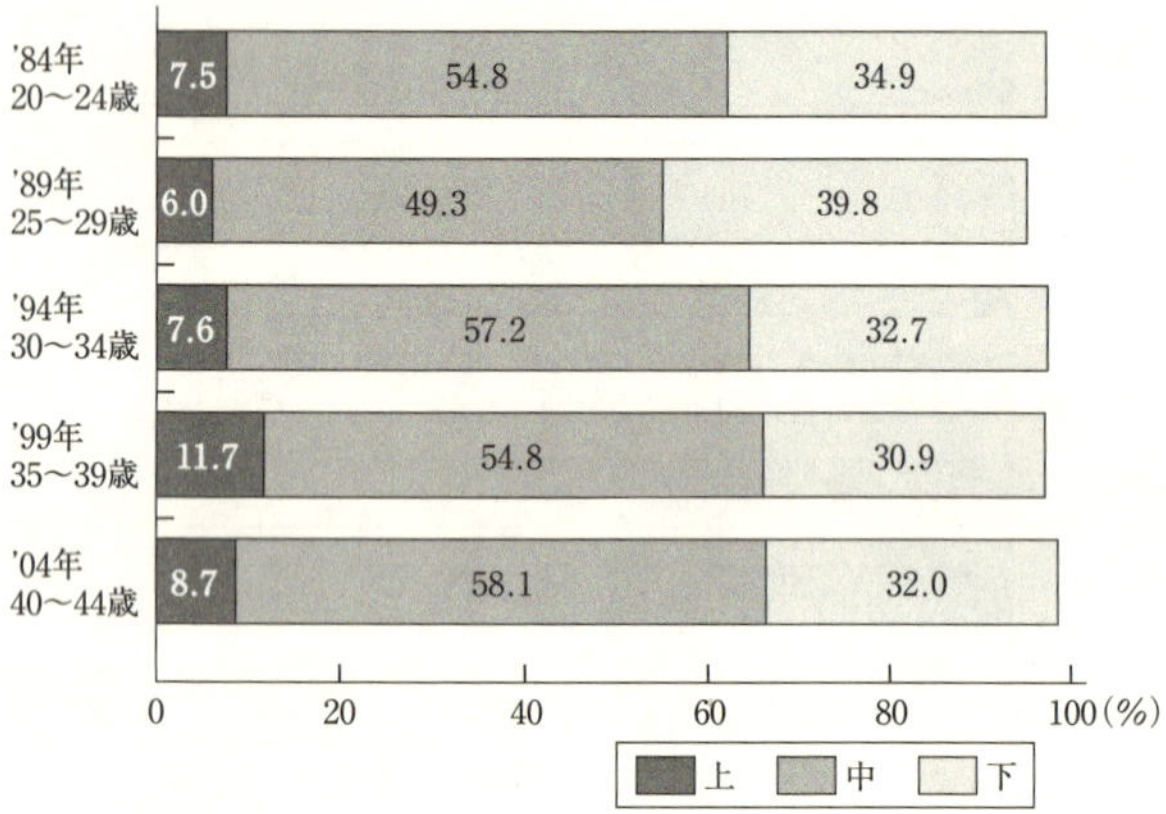

資料：内閣府「国民生活に関する世論調査」を元にカルチャースタディーズ研究所が作成

地価高騰によって住宅購入をあきらめざるを得ない気分になったからであろう。

その後バブルがはじけた94年には、階層意識は84年とほぼ同じに戻り、99年には若干だが、「中」と「下」が減って「上」が増えるという傾向を示している。しかし04年にはふたたび「中」と「下」が増えて、「上」が減って、ほぼ元通りになっている。だがさらに今後は、成果主義による給与格差の拡大などにより、「上」と「下」が増えて「中」が減るという傾向が強まるのではないかと思われる。

新人類世代の女性は、「上」にほとんど変化がなく、「中」が漸減して、「下」が漸増する傾向にある。84年と04年を比較すると、「中」が6ポイント強減り、「下」が9ポイン

図３-９　階層意識の推移（新人類世代・女性）

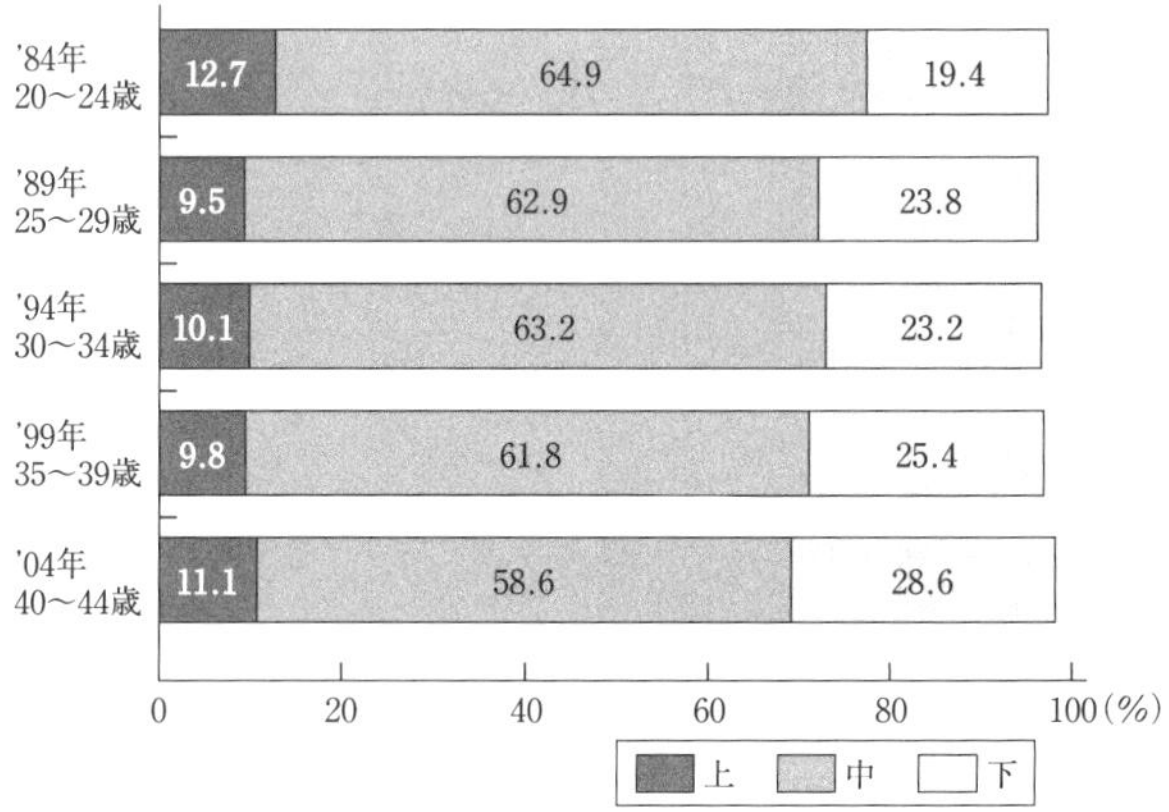

資料：内閣府「国民生活に関する世論調査」を元にカルチャースタディーズ研究所が作成

ト強増えており、全体としてはやや階層意識が低下していると言える（図３‐９）。

　新人類世代の女性は80年代に女子大生、ＯＬブームを巻き起こし、消費社会の主役だった世代であるが、その後、結婚、出産、子育て期と移行するにつれて生活が厳しくなってきていること、そのうえ、景気後退と成果主義によって夫の年収が伸び悩んでいることなどが、階層意識の低下の理由であろう。

　ただし99年から04年にかけては、わずかだが「上」が増えており、もしかすると中流の二極化の予兆と言えるかも知れない。

　しかし、いずれにしろ、団塊世代や新人類世代はこれまで比較的安定した中流意識を持ってきたと言えるのである。

希望格差

山田昌弘東京学芸大学教授の『希望格差社会』に対するアマゾン（amazon.co.jp）における読者レビューに、高度成長期にも「希望格差」はあったはずだという反論が載っていた。しかし、これはとんちんかんな反論だ。

もちろん高度成長期にも希望格差はあった。そんなことは当たり前だ。問題は希望格差があったかどうかではなく、希望格差が拡大すると考える人が多かったか、縮小すると考える人が多かったか、そしてそれは誰だったかということであろう。

戦後は、特に高度成長期は、貧しい人ほど希望をたくさん持つことができた時代だったと言える。対して、貴族や資本家、地主階級は特権を剥奪《はくだつ》され、土地も奪われたのだから、希望は縮小していたはずだ。小作人は土地をもらい、小作人の息子、娘でも高校くらいには進めるようになった。中学、高校を出れば、たとえブルーカラーでも大企業に勤める可能性もあり、努力すれば課長くらいにはなることができた。

もちろん、都市の労働者階級となった若者がいきなり豊かになったわけではない。しかし、現在の所得が低くても、毎日真面目に働けば、将来は所得が伸び、生活水準が上がると期待

希望を失った若者が街中に倒れ込んでいる

できた。そうすれば、働く意欲もわいてくる。吉永小百合や浜田光夫の映画はそういう若者を描いた。

このように、高度成長期は、低い階層の人ほど多くの希望と可能性を持ち、高い階層の人ほど、それまであった権利を縮小された時代であり、その意味で、個別具体的な事例はともかく、総じて言えば、希望格差が縮小する時代であったと言える。

しかし、現在は、将来の所得の伸びが期待できる少数の人と、期待できない多数の人、むしろ所得が下がると思われる少なからぬ人に分化している。多くの人が共有できた上昇への希望が、現在は、限られた人にしか与えられない。しかも希望が持てるかどうかが、個人の資質や能力ではなく、親の階層によって規定される傾向が強まっている。

とすれば、希望が持てるかどうかが階層格差によって規定される。つまり希望が持てる階層と、希望が持てない階層に分化し、その階層が固定化する、というのが山田の希望格差論であるはずだ。

たとえ所得格差が拡大しても、将来それを縮められるという期待があれば、希望格差は拡大しない。しかしそれが埋められない格差だと思われるとき、希望格差は拡大していくのである。

許容される（?）格差

ちなみに、「欲求調査」によれば、団塊ジュニア男性のうち「今の日本の社会は所得の高い人と低い人の差が開いていると思う」について、「そう思う」は47%、「ややそう思う」は32%であり、合計79%が所得格差の拡大を感じている。

これを階層意識別に見ると、「上」では75・0%、「中」では77・5%、「下」では81・3%であり、階層意識が下の人ほど格差拡大を感じている人が多い。

ところが、「成果主義、能力主義には賛成である」は、「そう思う」と「ややそう思う」の合計で、「上」が58・４％、「中」が60・０％、「下」が66・７％と、階層意識が下の人ほど成果主義、能力主義を肯定している。

同様に、「年功序列や終身雇用制の方がよいと思う」は、「上」が16・７％、「中」が17・５％、「下」が10・４％であり、「下」で最も年功序列否定意識が強い。

もちろんこうした傾向から、即座に「下」の人が所得格差の拡大を容認しているとは言い切れない。「下」にはフリーター、派遣社員が含まれているため、そもそも年功序列や終身雇用の恩恵を受けていない可能性が強いこと、また正規職員並みに働いているのだからその成果に応じて給料をよこせという気持ちが強いこと、なども考えられるからである。つまり格差の容認志向と格差の是正志向という、相反するふたつの考えが、この結果に表れている可能性はある。

正規職員と非正規職員の格差

他方、団塊ジュニア女性は、所得格差の拡大については81％が感じており、「上」では76・５％、「中」では75・０％、「下」ではなんと93・６％である。男性に比べると、所得格差の拡大を「下」の人ほど非常に強く感じている。

これは、本調査の団塊ジュニア女性の中で、派遣社員、パート・アルバイト、フリーターが21％を占めているためであろう。それらの非正規職員は「上」では5・9％にすぎないが、「中」では25・0％、「下」では22・6％いる。そのため「中」と「下」においては、総合職の正規職員女性との所得格差を強く実感する者が多いのであろう。

また、現在主婦をしている女性は、就業を継続している同年齢の女性が得ている所得を意識して、所得格差の拡大を実感している可能性もある。

成果主義については、団塊ジュニア女性の64％が容認しており、「上」では76・4％、「中」では61・6％、「下」では61・3％と、男性とは異なり、「上」の人ほど成果主義を容認している。

というより、成果主義を認めているのは、女性の「上」以外では男性も含めてすべて6割前後であるのに、女性の「上」だけが76％という高い率で成果主義を支持しているのである。おそらくは、女性の「上」では、男性並みに働いても十分評価されない（なかった）という気持ちもあるので成果主義志向がより強まるのであろう。

年功序列・終身雇用については、支持するのは6％のみ。「上」ではゼロ、「中」では7・7％、「下」では6・5％であった。女性は年功序列・終身雇用の恩恵に浴していないので、まったく評価していないのである。特に女性の「上」にとっては、年功序列・終身雇用は男性社会の壁そのものであるから支持する者が皆無なのは当然であろう。

ただし、女性の「上」のすべてが総合職ではないし、それどころか、必ずしも働いているわけでもない。半数が主婦である。一見成果主義とも年功序列とも無関係な主婦を多く含む女性「上」でこれほど成果主義志向や年功序列・終身雇用否定が強いのはなぜか。

もちろん「上」の中でも有職者だけが強くそのように回答した可能性はある。そこで個票を見てみたが、有職者と専業主婦の差はなかった。

とすると、現在主婦であっても、かつては男性並みに働いていた女性がそう答えた可能性がある。

また、以上のいずれでもないが、自分の夫にとって、成果主義や年功序列否定の方が有利であるという判断をした可能性もある。

このように、団塊ジュニア世代においては、正規職員を中心とする「上」においては無能な上司や男性の壁を破るために、非正規職員を多く含む「下」においては正規職員との差別をなくすために、成果主義が支持されていると考えられるのである。

しかし、成果主義の中で勝ち続ける者とそうでない者の差は大きく開く。もちろんフリーターとの差はますます拡大する。とすれば、その格差の拡大＝下流化をどこまで冷静に受け止められるのかが大きな問題になるだろう。子供がいて住宅ローンもあるのに成果が出せないで給料が下がる人はどうするのかという問題も拡大するだろう。そうなれば、未婚化、少子化はますます進むであろう。結婚して、子供を産んで、平凡に暮らす、そうした普通の「中流」の生活が、どんどん難しくなっていくことは、どうやら間違いない。

第4章　年収300万円では結婚できない⁉

この10年で勝負がついた?

　本章では、「欲求調査」をもとに、団塊ジュニアの階層意識別に所得、結婚、家族、職業などにどのような違いがあるかを見ていこう。

「欲求調査」では生活水準を「上」「中」「下」で聞くほか、過去（5〜10年前）と現在で生活水準を点数（100点満点）にして答えてもらっている（表4-1）。

　これを見ると、男性で「上」の人は過去から現在にかけて点数が上昇した人であり、「下」の人は下降した人、「中」の人はあまり変わらない人であることがわかる。つまり過去5〜10年の変化が現在の階層意識を規定しているのである。

女性でも同様の傾向だが、男性と比べると「上」は80点以上の増え方が激しく、「下」は60点未満の増え方が大きい。つまり女性は男性よりもこの10年で「勝ち負け」がはっきりしたのであり、それが現在の階層意識に影響を与えているのだと推測できる。それは所得の増減、あるいは結婚できたかどうかなど、複数の要因から規定されていると思われる。

貯蓄額は500万円以上と150万円未満に二極化

次に階層意識別に年収を見ると、当然だが、階層意識が高いほど年収は高いという傾向がある。特に女性は「上」の58・8％が年収700万円以上である（表4-2）。この場合の年収は、既婚の場合は夫婦合計なので、基本的には夫の年収と考えてよい。夫の年収が高いことが女性の階層意識を上げるのである。

階層意識別に貯蓄額を見ると（同じく既婚の場合は夫婦合計）、男性の「上」では33・3％が1000万円以上、25％が500〜1000万円、合計58・3％が500万円以上である。女性でも「上」は35・3％が500万円以上である（表4-3）。

それに対して、男性の「下」は150万円未満が56・3％、女性の「下」は150万円未満が80・6％もいる。「中」も男女ともに40％前後が150万円未満である。

表4-1　団塊ジュニアの階層意識別・過去と現在の生活水準点数

[男　性]

(%)

		上	中	下
過去	n	12	40	48
	60点未満	0	30.0	35.4
	60〜79点	41.7	50.0	50.0
	80点以上	58.3	20.0	14.6
		上	中	下
現在	n	12	40	48
	60点未満	0	20.0	56.3
	60〜79点	33.3	50.0	33.3
	80点以上	66.7	30.0	10.4

[女　性]

(%)

		上	中	下
過去	n	17	52	31
	60点未満	17.6	23.1	12.9
	60〜79点	52.9	34.6	41.9
	80点以上	29.4	42.3	45.2
		上	中	下
現在	n	17	52	31
	60点未満	5.9	13.5	54.8
	61〜79点	29.4	44.2	35.5
	80点以上	64.7	42.3	9.7

資料：カルチャースタディーズ研究所＋(株)イー・ファルコン「欲求調査」

表4-2　団塊ジュニアの階層意識別所得
（既婚の場合は夫婦合計の所得）

（%）

		上	中	下
男性	n	12	40	48
	300万円未満	8.3	7.5	31.3
	300万円〜	16.7	40.0	56.3
	500万円〜	33.3	32.5	12.5
	700万円〜	41.6	20.0	—
女性		上	中	下
	n	17	52	31
	300万円未満	17.7	30.8	35.5
	300万円〜	11.8	25.0	48.4
	500万円〜	11.8	25.0	12.9
	700万円〜	58.8	19.2	3.2

資料：カルチャースタディーズ研究所＋（株）イー・ファルコン「欲求調査」

このように貯蓄額は階層意識別に大きな差があり、「上」は５００万円以上、「中」と「下」は１５０万円未満というように二極化しているようである。

未婚だと生活満足度は低下

「欲求調査」では生活水準点数の他に生活満足度点数も聞いた（表４‐４）。当然だが、生活満足度は階層意識が上がるほど高い。ただし生活水準点数と比べるとやや格差が少ない。生活水準が高くても満足度が低いとか、生活水準が低くても満足度が高い人が多少いるからである。

また女性は比較的高階層ほど満足度も高く、「上」では80点以上が64・7％いるし、「中」

表4-3　団塊ジュニアの階層意識別貯蓄額

(%)

	男性			女性		
	上	中	下	上	中	下
n	12	40	48	17	52	31
150万円未満	8.3	35.0	56.3	23.5	44.2	80.6
150万円～	16.7	15.0	14.6	11.8	9.6	0.0
300万円～	8.3	12.5	12.5	23.5	19.2	19.4
500万円～	25.0	22.5	6.3	11.8	19.2	0.0
1000万円～	33.3	15.0	10.4	23.5	7.7	0.0

資料：カルチャースタディーズ研究所+(株)イー・ファルコン「欲求調査」

表4-4　団塊ジュニアの階層意識別生活満足点数

(%)

		上	中	下
男性	n	12	40	48
	60点未満	0	15.0	41.8
	60～79点	41.7	30.0	39.7
	80点以上	58.3	42.5	18.8
女性		上	中	下
	n	17	52	31
	60点未満	5.9	9.6	32.3
	61～79点	29.4	30.7	48.4
	80点以上	64.7	59.6	19.4

資料：カルチャースタディーズ研究所+(株)イー・ファルコン「欲求調査」

表4-5　団塊ジュニアの学歴別階層意識

（%）

		n	上	中	下
男性	高　卒	19	10.5	26.3	63.2
	大　卒	52	13.5	42.3	44.2
		n	上	中	下
女性	高　卒	17	9.1	48.5	42.4
	短大卒	33	18.5	60.0	21.4
	大　卒	36	30.6	44.4	25.0

資料：カルチャースタディーズ研究所＋（株）イー・ファルコン「欲求調査」

でも80点以上が59・6%いるが、男性はそれほど高くない。「上」であっても労働時間が長いとか、未婚であることなどが満足度を阻害しているものと思われる。

女性は大学を出ないと上流になれない？

階層意識と学歴の相関はどうか。男性ではたしかに高卒では「下」が63・2%と多いが、大卒でも「下」は44・2%と多い。逆に高卒でも「上」は10・5%、大卒では「上」が13・5%とあまり差はない。大卒の方が「中」になりやすいが、「上」になりやすいとは言えないのである（表4-5）。

他方、女性は学歴と階層意識の相関がかなり高い。

図4-1　女性の大卒・短大卒者に占める階層意識「上」の割合

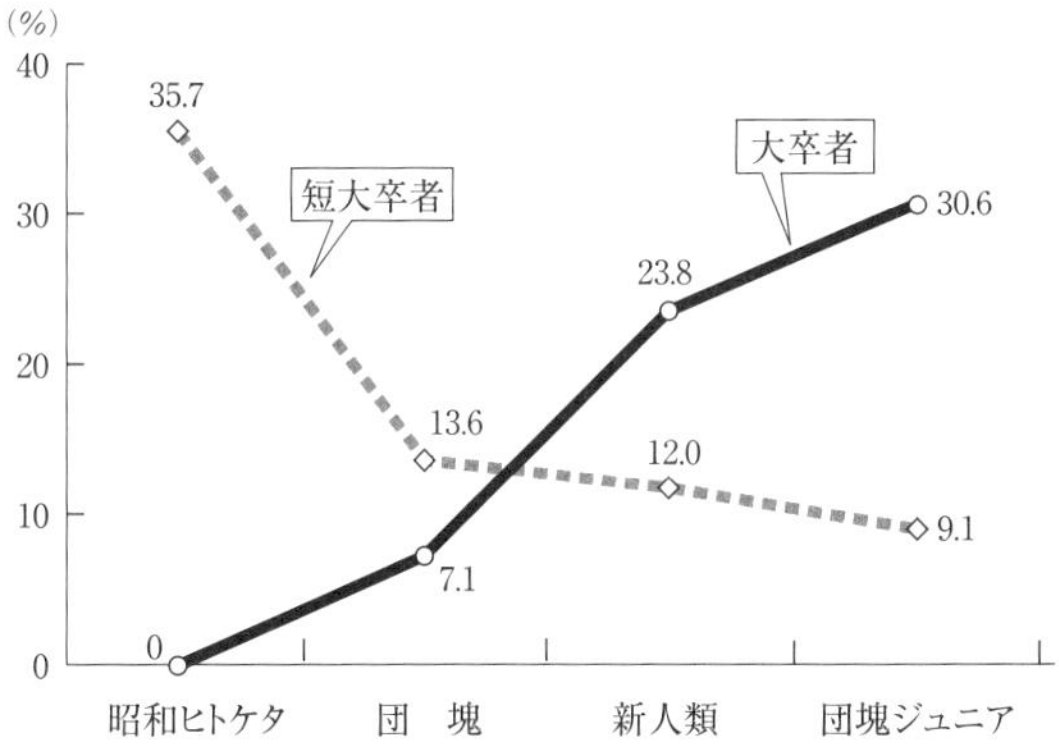

資料：カルチャースタディーズ研究所+（株）イー・ファルコン「欲求調査」

別の見方をしてみよう。女性の大卒者に占める階層意識「上」の人の割合を見ると、若い世代ほど高まる。団塊ジュニア女性の大卒者は30・6%が「上」と答えているが、新人類は23・8%、団塊は7・1%、昭和ヒトケタはゼロである（図4-1）。

大学が大衆化した世代ほど大卒者の階層意識が高まるのは一見不可解である。大卒が特権的だった昭和ヒトケタ世代の女性の方が階層意識が高くてもよさそうである。

しかしこれは、近年、階層意識と年収の相関が高まったうえに、高学歴化によって学歴と年収の相関も高まり（言いかえると「大卒未満で高所得」の人が減り）、結果、学歴と階層意識の相関も高まったものと思われる。

他方、短大卒女性に占める階層意識「上」の割合は、昭和ヒトケタ世代で非常に多い。この世代の女性では、短大卒であることの方が、より恵まれた人生を保証したのである。この世代の女性は自分の学歴を上げず、高い学歴の男性と結婚することで高階層になったが、現代の女性は自らの力で高階層を目指す。そのとき学歴が有効な資源となっているのである。

しかも、裕福な専業主婦になるためにも高学歴が必要である。なぜなら、収入の高い男性と出会うためには一流企業に入った方が有利であるが、近年一流企業に入るためには、たとえ一般職でも四年制大学卒であることが求められるからである。つまり、自分で給料を稼ぐにしても、夫に稼いでもらうにしても、大卒が有利になったのである。

結婚はやはり中流の条件か?

次に階層意識別に配偶関係を見ると、女性の場合、「上」で76・5%、「中」で80・8%が既婚(初婚)であり、やはり「中」「上」では既婚者比率が高い(表4-6)。「上」のうち未婚は17・6%、つまり3名だが、うち1名は無職のパラサイト、1名は年収150~300万円の自営業・自由業のパラサイト、残り1名は年収300~500万円の事務職の一人暮らしであり、本調査に関する限り、未婚かつ有職かつ年収500万円以上かつ階層意識

表4-6　団塊ジュニアの階層意識別配偶関係

(%)

		上	中	下
男性	n	12	40	48
	未　　婚	33.3	27.5	77.1
	既婚(初婚)	66.7	67.5	22.9
女性		上	中	下
	n	17	52	31
	未　　婚	17.6	17.3	41.9
	既婚(初婚)	76.5	80.8	48.4

資料：カルチャースタディーズ研究所＋(株)イー・ファルコン「欲求調査」

表4-7　団塊ジュニアの配偶関係別階層意識

(%)

		n	上	中	下
男性	未　　婚	52	7.7	21.2	71.2
	既婚(初婚)	46	17.4	58.7	23.9
女性	未　　婚	25	12.0	36.0	52.0
	既婚(初婚)	70	18.6	60.0	21.4

資料：カルチャースタディーズ研究所＋(株)イー・ファルコン「欲求調査」

図4-2　男性の所得と既婚（初婚）率の相関
（既婚の場合は夫婦合計の所得）

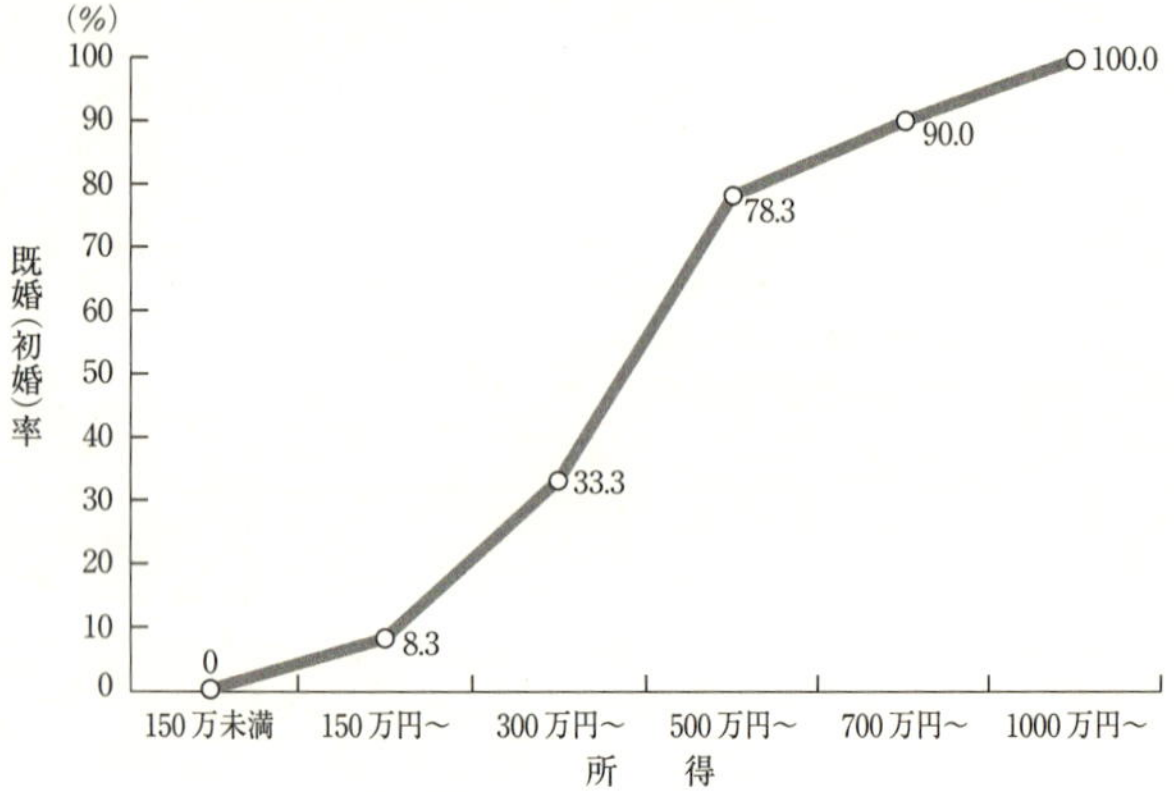

資料：カルチャースタディーズ研究所＋（株）イー・ファルコン「欲求調査」

「上」という典型的ミリオネーゼ系女性像は確認されなかった。つまり今回の調査結果については、先述したように、高所得の男性と結婚した女性ほど階層意識が高かったのである。

　また配偶関係別に階層意識を見ると、男性では未婚者の71・2％が「下」である。よって30代のリッチなパラサイトシングル男性を狙《ねら》えという戦略は、男性については必ずしもうまくいかない可能性がある。20代にリッチなパラサイトシングルだった人は30代では結婚しているからである（表4-7）。

　ただし女性では未婚でも「下」は52％のみで「中」以上が48％おり、ほぼ半々である。「おひとりさま市場」が注目されるように、

図4-3　女性の所得と既婚（初婚）率の相関
（既婚の場合は夫婦合計の所得）

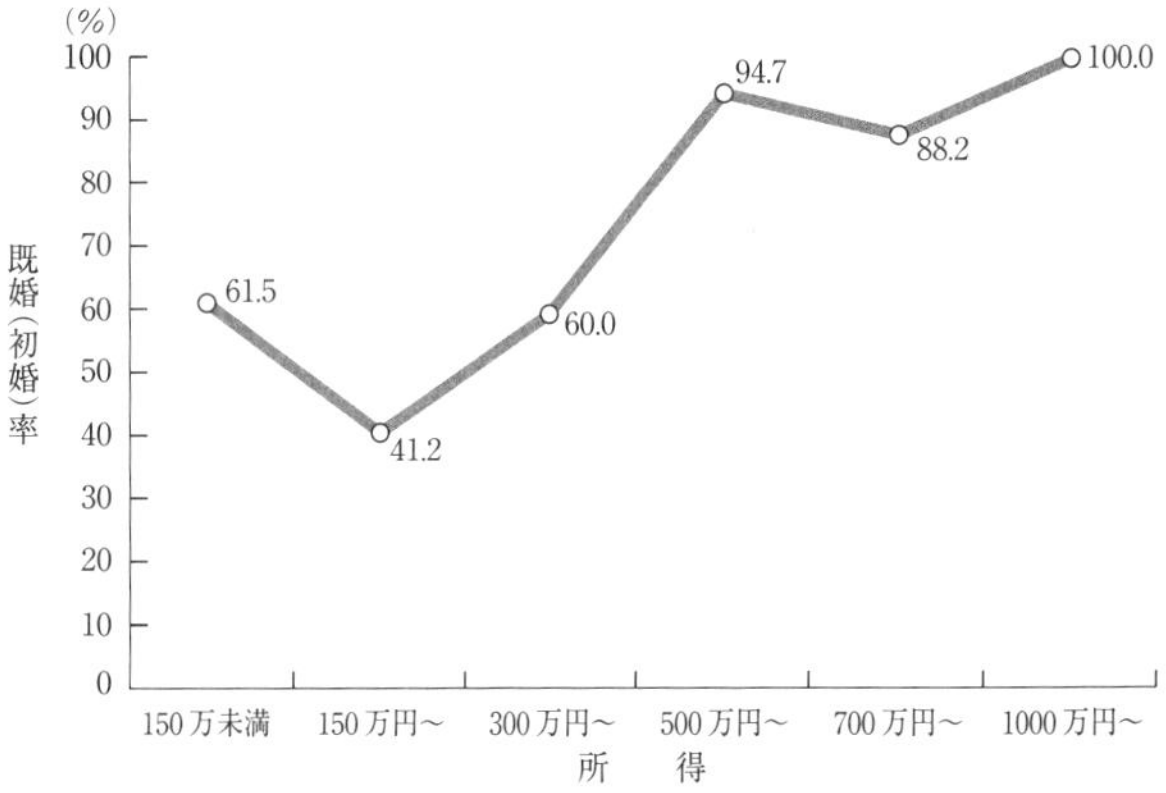

資料：カルチャースタディーズ研究所＋（株）イー・ファルコン「欲求調査」

女性は未婚であることが低階層意識に直結せず、活発に消費するようである。

５００万円が結婚の壁

男性の所得と配偶関係の相関を見ると、所得が上がるほど既婚率が高まることが明らかであり、実にエレガントなＳ字曲線を描く（図４‐２）。

１５０万円未満では結婚の可能性はないし、３００万円未満でもかなり厳しい。３００万円を超えるとようやく結婚が可能になり始め、５００万円を超すと一気に結婚が現実になり、７００万円を超えると９割、１０００万円を超えると１００％結婚できるのである。

この数字は夫婦とも所得がある場合は、夫

婦の合計であり、男性だけの所得ではないが、しかし主に所得が高いかどうかが、男性が結婚できるかどうかとかなり強く相関していることはたしかである。夫だけであれ、夫婦合計であれ、世帯の所得が最低500万円を超えるような結婚が求められているということである。

女性が贅沢になったとも言える。昔のように結婚して二人で頑張って働いてだんだん豊かになっていこうという考えの女性はいなくなった。結婚した最初から豊かでありたいのだ。もちろん女性だけでなく、その親もそれを望んでいるのである。

逆に女性の所得と既婚率の相関を見ると、500万円以上はほぼ9割である。この場合も女性だけの所得ではなく、夫婦合計あるいは夫のみの所得であるから、先述したように、女性は世帯の所得が500万円以上になる結婚を求めていることが明らかである（図4-3）。ただし中には150万円未満もある。これは若い世代の、いわゆる「できちゃった婚」であろう。

最近、私の調査結果を補強する研究が発表された。フリーター研究で名高い労働政策研究・研修機構の副統括研究員である小杉礼子による研究で、総務省の「就業構造基本調査」のデータを分析したところ、年収が少ないと結婚率も低いことが明らかになったのだ。

表4-8　年齢段階別にみた有業・無業状況、個人年収別有配偶率（在学者を除く・2002年調査）

（単位:%）

		男性				女性			
		15～19歳	20～24歳	25～29歳	30～34歳	15～19歳	20～24歳	25～29歳	30～34歳
全体		1.9	9.3	30.2	54.4	4.1	13.6	42.0	67.8
無業計		0.3	2.2	7.5	15.8	9.3	42.0	75.4	87.7
無業状況別	求職者	0.4	3.0	9.0	20.8	3.3	18.3	49.1	70.4
	白書定義無業者	—	—	—	—	—	—	—	—
	独身家事従事者	—	—	—	—	—	—	—	—
	専業主婦（夫）	—	—	100.0	100.0	100.0	100.0	100.0	100.0
	その他無業	0.4	4.1	29.8	56.3	2.6	20.5	20.5	66.1
有業計		2.8	10.5	32.4	57.2	1.1	6.4	27.2	52.7
就業形態別	正社員（役員含む）	3.4	12.2	34.7	59.6	0.4	4.4	21.2	43.8
	非典型雇用	1.6	5.7	14.8	30.2	1.2	9.0	34.9	59.9
	うち周辺フリーター	1.1	1.9	9.6	16.8	—	—	—	—
	自営	3.1	15.6	47.9	64.5	0.0	13.5	38.0	54.5
	その他就業	4.6	9.1	21.9	35.3	19.1	25.8	58.4	82.0
個人年収別	収入なし、50万円未満	1.4	3.4	12.7	26.5	3.9	18.7	59.6	82.0
	50～99万円	1.8	3.2	10.2	27.1	2.1	17.7	63.5	80.4
	100～149万円	1.5	5.4	15.3	29.6	0.5	7.0	30.5	55.2
	150～199万円	3.8	7.0	17.4	34.0	0.6	3.5	16.2	39.2
	200～249万円	3.9	10.4	22.8	40.8	0.0	3.8	17.8	38.1
	250～299万円	2.5	10.5	26.3	42.3	0.0	5.0	17.9	31.3
	300～399万円	5.7	16.2	35.6	52.9	0.0	6.4	21.4	40.6
	400～499万円	0.0	25.2	43.9	62.5	0.0	6.8	27.6	45.8
	500～599万円	0.0	19.3	52.7	71.0	0.0	7.7	33.7	49.6
	600～699万円	0.0	28.1	57.6	78.9	0.0	2.9	32.0	55.2
	700～799万円	0.0	35.7	52.2	76.6	—	0.0	24.7	39.8
	800～899万円	0.0	24.2	50.8	74.3	—	0.0	21.9	59.1
	900～999万円	—	62.0	42.3	65.1	—	—	22.4	67.4
	1000～1499万円	—	6.0	72.5	71.1	—	—	34.4	44.2
	1500万円以上	—	0.0	73.9	90.0	—	0.0	0.0	74.7

資料：労働政策研究・研修機構『若者就業支援の現状と課題』2005

具体的な数字は表4－8の通り。25～29歳で年収500万円以上の男性は50～60％が結婚しており、1000万円以上だと7割以上が結婚している。30～34歳では、500万円以上ではほぼ7～8割、1500万円以上で9割という数字である。

また筑波大学助教授の白波瀬佐和子が「社会階層・社会移動調査」を元に分析したところ、1995年で年収が150万円未満の男性は未婚率が90％以上、150～250万円未満で60％などとなっており、やはり年収が低いほど結婚ができないことは明らかである。また年収が450万円未満の男性は85年から95年にかけて未婚率が高まっているが、450万円以上の男性はあまり変化がない。さらに、85年から95年にかけて、高学歴者（大卒）よりも低学歴者（中卒）で男女とも未婚率が高まっている（『少子高齢社会のみえない格差』）。

強い標準世帯志向

階層意識と家族形態の相関を見ると、男女とも一人暮らしは「下」が多く、男性は73・7％、女性は72・7％である（表4－9）。

また男性は、親と同居＝パラサイトは「下」が74・1％と多いが、女性の方は、パラサイトは「下」が30・8％と少なく、「中」が53・8％と多めである。女性はパラサイトである

表4-9　団塊ジュニアの家族形態別階層意識

［男　性］

(%)

	n	上	中	下
一人暮らし	19	10.5	15.8	73.7
夫婦二人(共働き)	12	16.7	75.0	8.3
夫婦二人(妻は専業・パート)	11	9.1	45.5	45.5
夫婦と子供(共働き)	4	—	75.0	25.0
夫婦と子供(妻は専業・パート)	18	27.8	50.0	22.2
親と同居	27	7.4	18.5	74.1
3世代	3	—	100.0	—

［女　性］

(%)

	n	上	中	下
一人暮らし	11	9.1	18.2	72.7
夫婦二人(共働き)	13	23.1	46.2	30.8
夫婦二人(妻は専業・パート)	16	25.0	50.0	25.0
夫婦と子供(共働き)	4	25.0	75.0	—
夫婦と子供(妻は専業・パート)	36	27.8	50.0	22.2
親と同居	13	15.4	53.8	30.8
3世代	2	—	—	100.0

資料：カルチャースタディーズ研究所+(株)イー・ファルコン「欲求調査」

ことに対して、男性ほど引け目を感じないのである。

他方、女性は結婚している人はすべて25％程度が「上」だが、男性は専業主婦と子供のいる世帯で「上」が27・8％と最高になる。つまり、女性は結婚することで階層意識を上昇させるが、男性は俺の給料だけで女房子供を養ってんだと思えて初めて上流気分を味わうのである。団塊ジュニアとはいえ、頭は意外に古いのだ。

こうした結果を見る限り、男女の給与格差はあった方が結婚しやすいし、結果、子供を産んで、生活満足度も高まるという傾向があることは否めない。なんでも男女平等にすることは政治的には正しいが、少なくとも現時点の日本人の素直な結婚感情にとっては必ずしも正しくないのかも知れない。

７００万円をとるか、子供をとるか

ちなみに表４‐10を見てみると、男性の所得が５００〜７００万円未満の23人中、共働きは合計13％にすぎず、妻が専業主婦かパートタイマーである世帯が合計60・９％を占める。

それに対して、７００万円以上の13人では共働きは61・５％＝８人であるが、これはすべて子供のいない共働き夫婦（＝ディンクス）であり、妻が専業主婦かパートタイマーであっ

表4-10　団塊ジュニア男性の所得別家族形態

（%）

	150万円未満	150万円〜	300万円〜	500万円〜	700万円以上
n	7	12	45	23	13
一人暮らし	28.6	33.3	22.2	13.0	0.0
夫婦二人（共働き）	0.0	0.0	4.4	8.7	61.5
夫婦二人（妻は専業・パート）	0.0	8.3	11.1	17.4	7.7
夫婦と子供（共働き）	0.0	0.0	6.7	4.3	0.0
夫婦と子供（妻は専業・パート）	0.0	0.0	8.9	43.5	30.8
本人と子供	0.0	0.0	0.0	0.0	0.0
親と同居（本人未婚）	71.4	50.0	33.3	4.3	0.0
3世代（親、本人、子供）	0.0	0.0	4.4	4.3	0.0
3世代（本人、子供、孫）	0.0	8.3	0.0	0.0	0.0
その他	0.0	0.0	6.7	4.3	0.0

資料：カルチャースタディーズ研究所＋（株）イー・ファルコン「欲求調査」

表4-11　団塊ジュニア女性の所得別家族形態

（%）

	150万円未満	150万円〜	300万円〜	500万円〜	700万円以上
n	13	17	30	19	21
一人暮らし	7.7	11.8	23.3	5.3	0.0
夫婦二人（共働き）	7.7	5.9	10.0	10.5	28.6
夫婦二人（妻は専業・パート）	30.8	5.9	13.3	15.8	19.0
夫婦と子供（共働き）	0.0	11.8	0.0	0.0	9.5
夫婦と子供（妻は専業・パート）	23.1	11.8	40.0	57.9	38.1
本人と子供	0.0	5.9	0.0	0.0	0.0
親と同居（本人未婚）	30.8	35.3	10.0	0.0	0.0
3世代（親、本人、子供）	0.0	5.9	0.0	5.3	0.0
3世代（本人、子供、孫）	0.0	0.0	3.3	0.0	0.0
その他	0.0	5.9	0.0	5.3	4.8

資料：カルチャースタディーズ研究所＋（株）イー・ファルコン「欲求調査」

て子供のいる世帯は30・8％（＝4人）である。

女性の側から見ると（表4‐11）、700万円以上ではディンクスが多く、28・6％いるが、500〜700万円ではディンクスは減って、夫婦と子供世帯が57・9％に増える。

つまり、子供ができることで妻が仕事をやめるケースが多いために、子供がいる家庭の年収は500〜700万円に下がるのであり、子供ができても夫婦共働きが可能であれば、もっと金銭的に裕福な団塊ジュニアファミリーが増えるはずなのである。

言いかえると、年収700万円以上欲しさに子供を産み控えている夫婦も多いと推測される。

団塊ジュニアは郊外で育った者が多い世代だ。だから親元の近くに住もうとすれば都心からは遠い。よって共働きが困難になる。共働きを続けようとすれば都心の近くに住むという選択をする必要があるが、その場合、住宅費負担に見合う年収が確保できることが条件である。

あるいは、郊外に住みながら共働きをするには、148ページで述べるように、主に妻の母親から子育てについて全面的な支援を得る必要があるだろう。

これらいずれか、あるいは両方の条件を持つ者でないと、子供を産み育てつつ共働きをす

表4-12　女性の未既婚・家族形態別にみた階層意識「下」の割合

(%)

	18〜22歳	23〜27歳	28〜32歳	33〜37歳
未婚で親元に住んでいる	40.0	49.6	49.3	55.7
未婚で一人暮らしをしている	44.0	63.1	60.0	47.7
夫と二人で暮らしている	33.3	41.7	37.1	36.1
夫と親元に住んでいる	100.0	—	40.0	60.0
夫・子供と暮らしている	80.0	53.6	40.7	38.2
夫・子供と親元で暮らしている	75.0	71.4	29.4	22.2

資料：カルチャースタディーズ研究所+(株)読売広告社「女性1次調査」

るのはなかなか大変であろう。

また、女性については、年収150万円未満の中に、夫婦のみの世帯、あるいは夫婦と子供のいる世帯が6割以上もいる。誤答もあるとは思うが、若い「できちゃった婚」夫婦がかなり含まれると思われる。

女性の必勝パターン

ちなみに、2005年5月に行った「女性1次調査」で、未既婚・家族形態別に階層意識「下」の割合を見ると、18〜22歳の時は未婚で親元に住むか、未婚で一人暮らしか、夫と二人で暮らしている者が3〜4割と最も少ない（表4-12）。

これが23〜27歳になると、夫と二人がやはり41・7％で最も少ない。

さらに28〜32歳では夫と二人が37・1％で、夫と親元および夫と子供が4割程度。そして33〜37歳では夫と二人および夫と子供が36〜38％、夫と子供で親元に暮らしている場合が22・2％と非常に少ない。

つまり、若いうちは親元にいて、その後、結婚して夫婦だけで暮らし、子供ができたらできれば親元に住むのが最も「下」になりにくい生き方だということである。あまりにも保守的だが、実態はやはりそれが幸せのパターンのようである。

そう考えると、1980年代以降、家族の形は急速に多様化したが、形の多様化ほどに意識や価値観はそれほど多様化していないと言えるのではないだろうか。逆に言えば、幸せパターン通りに生きられる人が減ったのである。

パラサイト女性は年をとると下流化する

次に興味深いのは、未婚で親元に暮らしているパラサイト女性は、加齢に伴って「下」が増えるという傾向が明らかなことである。18〜22歳の時は40・0％が「下」だが、23〜32歳では50％弱、そして33〜37歳になると55・7％が「下」となるのだ（図4－4）。

図４-４　パラサイトに占める「下」の割合（女性・年齢別）

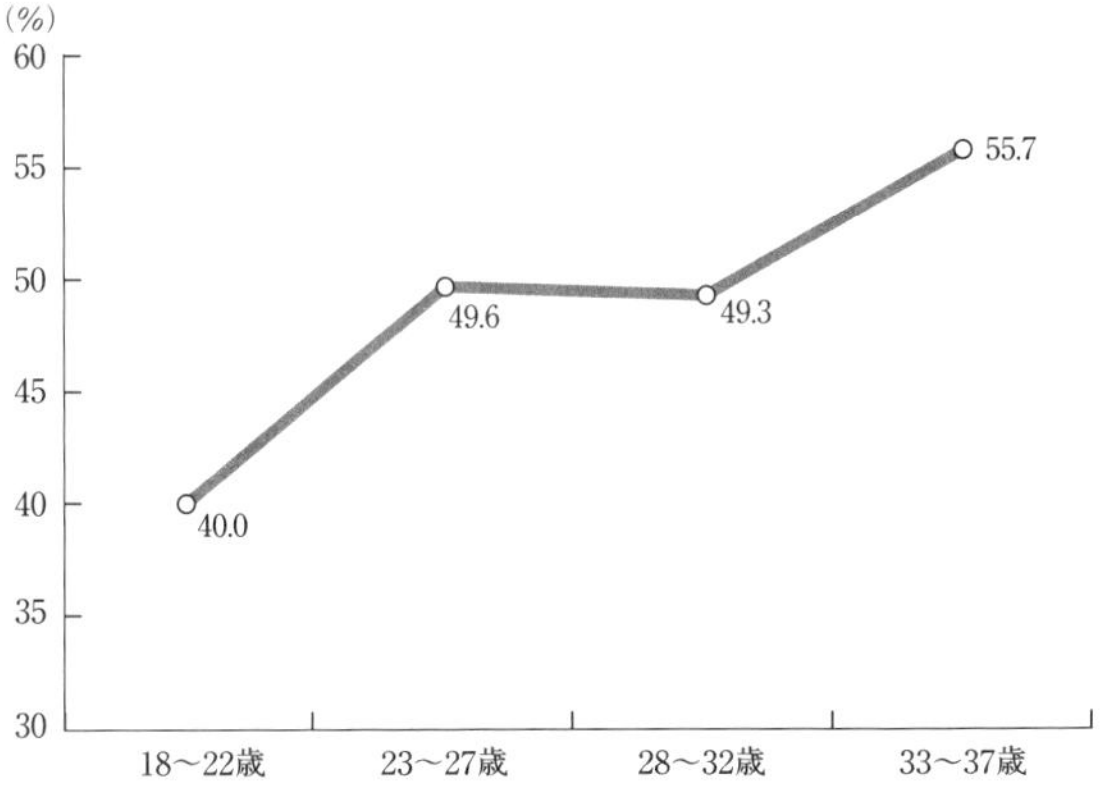

資料：カルチャースタディーズ研究所＋（株）読売広告社「女性1次調査」

この傾向は次の３つの仮説で解釈できる。

〈仮説①〉

未婚であること自体が年をとるごとに階層意識の低下につながる。

〈仮説②〉

若いときに「下」であった女性はその後結婚をしにくく、若いときに「上」であった女性はその後結婚をしやすい。年をとるごとに「上」の女性は結婚していくので、未婚の女性に占める「下」の割合が増えていく。

〈仮説③〉

「欲求調査」によれば、現在の階層意識は過去５年間に生活水準が上昇したか低下したかによって左右されやすい。また、先述した家計経済研究所のモニター調査によれば、団塊ジュニア世代＝バブル後就職世代は正社員が少なく、フリーターが多い。とすれば、過去5年間に生活水準が低下した女性は、就職・転職活動が忙しかったとか、派遣社員やアルバイトをしていたので収入が低いうえに、よい相手を見つけにくかったなどの理由で結婚しにくく、「下」と答えやすい。反対に過去5年間に生活水準が上昇した女性は、正社員として働き続けたので所得が伸びたうえに、そのおかげで高所得の男性と出会い、結婚した可能性が高く、「上」と答えやすい。

仮説①は、いつまでも結婚しないと「下」に落ちるぞという、いわば「セクハラ的仮説」であり、「負け犬＝負け組仮説」でもある。

仮説②は、そもそも「下」の女性が結婚しにくいというのだから、もっと恐ろしい。結婚できるかどうかは若いときの階層で決まる、つまりしばしば親の所属する階層で決まるという、恐怖の「階層固定化仮説」である。

仮説③は、バブル崩壊という経済情勢によって規定された、いわば「経済要因仮説」である。

どの仮説が正しいかは、一回だけの調査ではわからない。個別具体的にはどの仮説も妥当するだろう。いずれにせよ、33歳を過ぎてパラサイトを続ける女性には「下」が多いことは

図４-５　未婚一人暮らしに占める「下」の割合（女性・年齢別）

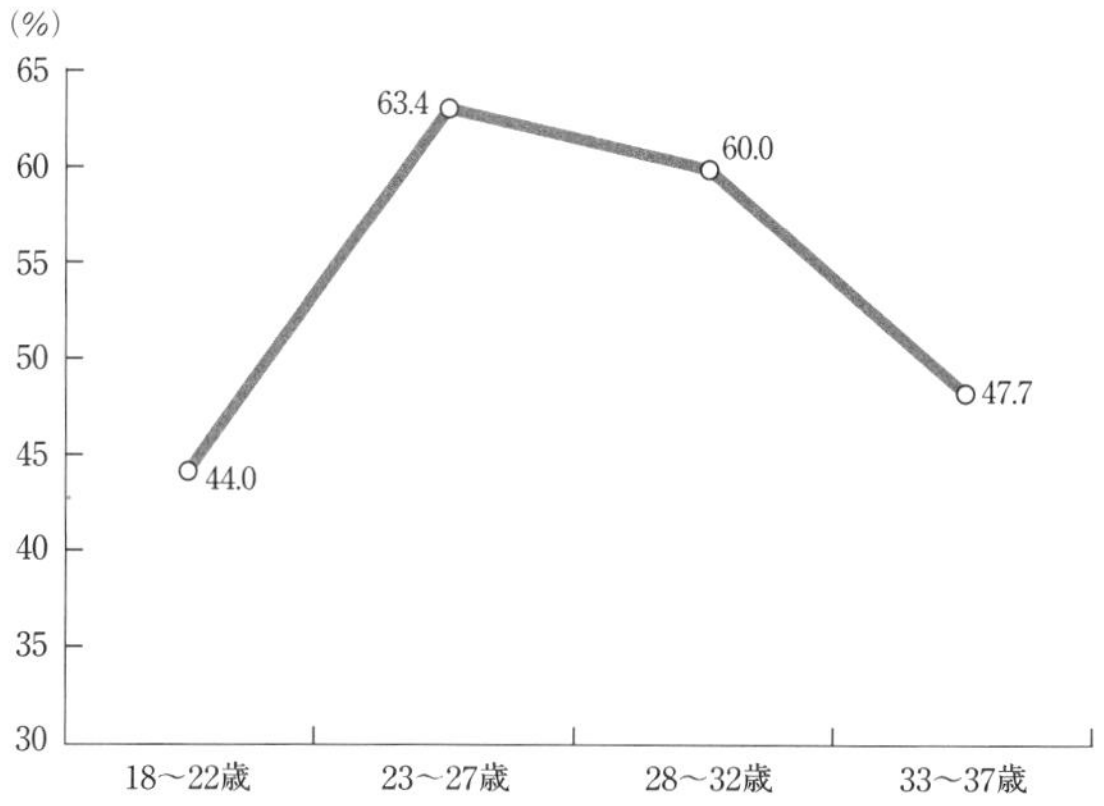

資料：カルチャースタディーズ研究所＋（株）読売広告社「女性1次調査」

たしかなのである。

４００万円が女性のリッチ生活の条件

ただし、未婚であり続けることが必ずしも階層意識の低下をもたらすわけではない。未婚でも一人暮らしをしている女性は、28歳を過ぎると「下」が減っていくのである（図４-５）。

一人暮らしをする女性は、当然所得が高い。年間所得が４００万円を超えると、男女ともに一人暮らしをするようになるという（宮本みち子『ポスト青年期と親子戦略』参照）。

事実「女性１次調査」でも、23〜27歳で年間個人所得４００万円以上の女性は６割以上が未婚で一人暮らしをしている（表４-13）。

表4-13　所得別の未既婚・家族形態（女性23～27歳）

（%）

	収入なし	200万円未満	200～400万円	400万円以上
n	69	187	210	34
未婚で親元に住んでいる	23.2	63.1	50.5	23.5
未婚で一人暮らしをしている	5.8	13.4	43.3	61.8
夫と二人で暮らしている	24.6	9.1	4.8	11.8
夫と親元に住んでいる	—	—	—	—
夫・子供と暮らしている	39.1	13.9	1.4	—
夫・子供と親元で暮らしている	7.2	0.5	—	2.9

資料：カルチャースタディーズ研究所＋（株）読売広告社「女性1次調査」

また「女性１次調査」で見ても、自分だけの所得が４００万円未満では「下」が5割いるが、４００～７９９万円だと「下」が27・3%に減る。所得４００万円は「下」から抜け出す最低ラインなのである（表4-14）。

とすると、加齢にともなって一人暮らし女性の「下」が減少するのは、未婚であることによってもたらされる階層意識の低下作用よりも、所得が高まることによる階層意識の上昇作用の方が強いためとも考えられる。もちろん、加齢にともなって一人暮らしの楽しさ、気楽さに慣れていくということも考えられる。

よって、パラサイト女性が加齢にともなって階層意識を低下させた理由としては、仮説③が最も説明力があると言えそうだ。すなわ

表4-14　所得別階層意識（女性18〜37歳）

（%）

	n	上	中	下
収入はない	473	12.3	48.6	39.1
200万円未満	830	11.3	38.3	50.4
200万円〜	545	7.7	43.3	49.0
400万円〜	121	14.9	57.9	27.3
600万円〜	22	27.3	45.5	27.3
800万円〜	9	55.6	33.3	11.1

資料：カルチャースタディーズ研究所＋（株）読売広告社「女性1次調査」

図4-6　所得400万円以上に占める「上」の割合
（女性・年齢別）

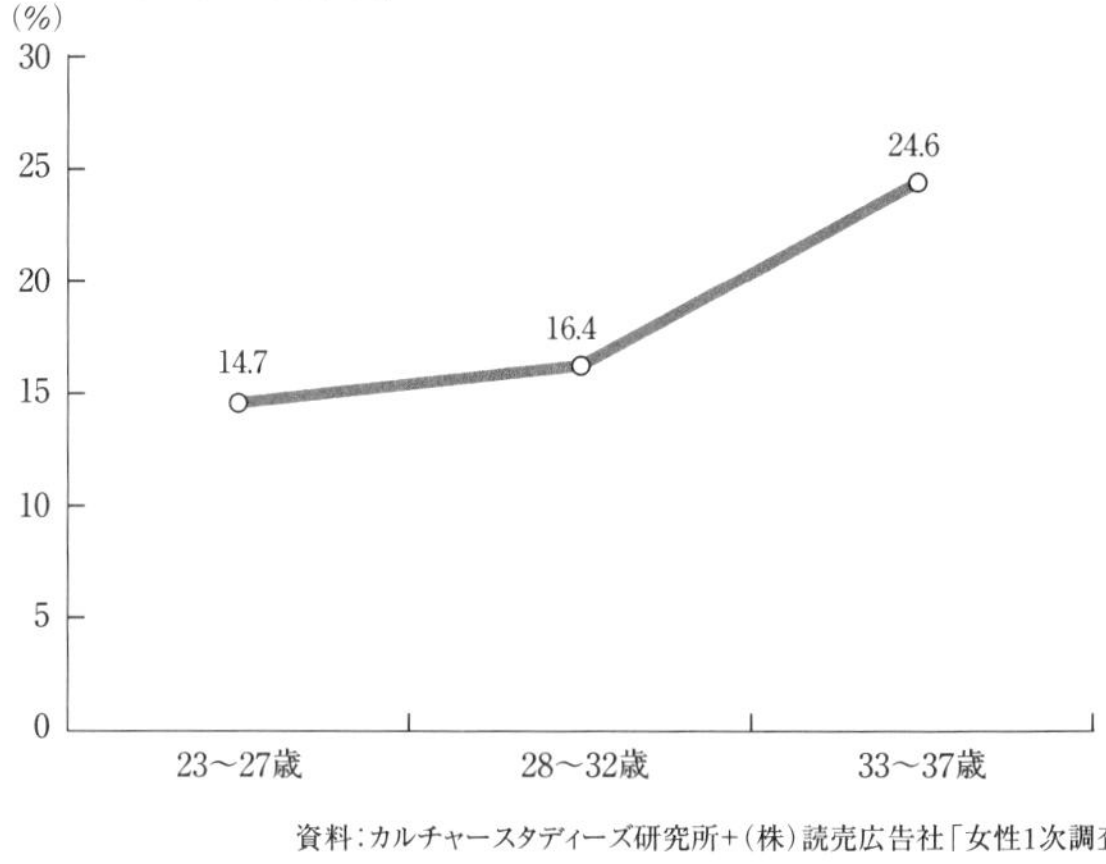

資料：カルチャースタディーズ研究所＋（株）読売広告社「女性1次調査」

ち、年をとっても所得が400万円未満と低いことが影響している可能性が高いのである。実際、23歳以上の女性で、年間個人所得400万円以上の女性の階層意識は「上」が多く、かつ年をとるほど「上」が増える（図4‐6）。400万円あれば30代で未婚でもハッピーなのである。

コラム1　嫁は賢く美しく……。

『週刊朝日』に1979年以来連載されている「縁あって父娘《おやこ》」（当初は「うちのヨメ讃《さん》」）という記事は、地位が高い父親の息子が大企業に入り、明るく、賢く、センスがよい女性が嫁に来るという不滅のパターンで長期連載を続けている。

さすがに最近は晩婚化のためか、取材に応じてくれる人を見つけるのが大変になっているらしいが（そのためか、やけに父親が元日銀が多い）、それはともかく、良家の子女同士が結びつくことが人間の幸せだと言わんばかりのこの連載が長期に続いていることからしても、過去20年以上、日本社会の階層固定化が進んできたことは明らかであろう。

『週刊朝日』じゃ無理だろうが、『アサヒ芸能』あたりで、
父＝下町の職人　息子＝ラブホテル支配人　嫁＝元ソープ嬢
とか、
父＝トラックの運転手　息子＝キャバレー経営者　嫁＝元暴走族
といった家族の幸せな姿も見てみたいものである。

「縁あって父娘」の最近の例

〈父〉	〈息子〉	〈嫁〉
元日銀	三菱商事	息子と同じ職場　得意の料理に腕をふるい、庭に花を絶やさない
オーナーシェフ	日本旅行	スポーツ好きで明るい
電通常務	ＴＢＳ	女性誌ライター　センスがよく、機転が利き、他人に尽くす
元日銀	三菱信託銀行	息子と同期　颯爽として、パワフル

酒造会社会長　キリンビール　明るくパワーがいっぱい
元警視総監　みずほ銀行　元商社勤務　日本語講師

やっぱりホワイトカラー管理職の妻がベストか？

次に、職業別に階層意識を見ると、男性は、事務職で「上」が18・5％とやや高いものの、「下」も48・1％と高く、二極化している。つまり同じ事務職でも勝ち組と負け組がいるようである。アルバイト、フリーター、無職は6名のみだがすべて「下」である（表4‐15）。

女性では事務職で「上」「中」「下」がかなり均等に分散しており、それぞれの置かれた立場や企業規模などによって差があるものと思われる（表4‐16）。

また専業主婦は「中」が高いが、フリーターなどでも「中」が66・7％、派遣でも55・6％が「中」という結果だった。

また女性の配偶者の職業別に階層意識を見ると、やはり管理職で「上」が多く、次いで「事務職」で「上」が多い（表4‐17）。ホワイトカラーの管理職の夫という1955年体制的、アメリカ的幸福モデルはまだ有効なようである。

表4-15　主な職業別階層意識（男性）

（%）

	n	上	中	下
営 業 職	9	0.0	66.7	33.3
事 務 職	27	18.5	33.3	48.1
専門職・技術職	33	9.1	48.5	42.4
販売職、サービス職、現業職、自営業、自由業	10	0.0	50.0	50.0
パート・アルバイト、フリーター、無職	6	0.0	0.0	100.0

資料：カルチャースタディーズ研究所＋（株）イー・ファルコン「欲求調査」

表4-16　主な職業別階層意識（女性）

（%）

	n	上	中	下
事 務 職	18	27.8	33.3	38.9
派遣社員	9	11.1	55.6	33.3
パート・アルバイト、フリーター	12	0.0	66.7	33.3
専業主婦	45	15.6	62.2	22.2

資料：カルチャースタディーズ研究所＋（株）イー・ファルコン「欲求調査」

表4-17　配偶者の主な職業別階層意識（女性）

（%）

	n	上	中	下
管 理 職	7	42.9	57.1	0.0
事 務 職	8	25.0	62.5	12.5
専門職・技術職	26	19.2	57.7	23.1
営業職	10	10.0	80.0	10.0
サービス、現業職、自営業、自由業	10	0.0	50.0	50.0

資料：カルチャースタディーズ研究所＋（株）イー・ファルコン「欲求調査」

「上」の多い大学院生、「下」の多いフリーター

しかし「女性1次調査」では、大学院生、大学生の階層意識が高いことが顕著に表れた(表4-18)。特に大学院生は「上」が25%、「下」は18・8%しかいない。

私の世代の大学院生のイメージというと、お金がなくて、非常勤講師で疲れ切っているというものだが、最近の、特に女性の大学院生というのは、裕福な家庭の娘の道楽のようなものらしい。30年前なら、ミッション系の私立女子大に行っていた階層の女性が、今は大学院に行くのかもしれない。

「下」が少なめで、「上」が多めという意味では総合職もそうである。これは予想通りである。自由業・フリーランス、家事手伝い・無職(主婦以外)、主婦(パートなどで働いている)、派遣社員・契約社員は「下」が50%台と多く、特にフリーターは66・3%が「下」と回答した。

これは「欲求調査」とは異なる傾向だが、サンプル数などから考えて、こちらの結果の方が現実的と思われる。

ちなみに女性の職業別の個人所得を見てみると、管理職、総合職は23~27歳では400万円以上が33~35%だったのが、33~37歳の管理職は400万円以上が100%、総合職は

表4-18　職業別階層意識(女性18〜37歳)

(%)

	n	上	中	下
大学院生	16	25.0	56.3	18.8
大 学 生	272	21.7	47.4	30.9
自営業・会社(団体)役員・経営者	21	19.0	23.8	57.1
総 合 職	95	15.8	49.5	34.7
自由業・フリーランス	47	12.8	36.2	51.1
家事手伝い・無職 (主婦以外で)	62	11.3	30.6	58.1
専門学校生	36	11.1	47.2	41.7
短 大 生	9	11.1	44.4	44.4
一 般 職	373	10.2	43.4	46.4
主婦(まったく働いていない)	404	9.9	52.2	37.9
主婦(パートなどで働いている)	115	8.7	39.1	52.2
正規職員その他	24	8.3	50.0	41.7
主婦(趣味の延長で働く程度)	59	6.8	52.5	40.7
派遣社員・契約社員	246	6.5	35.8	57.7
店員・セールス・飲食・サービス	39	5.1	46.2	48.7
フリーター	169	4.1	29.6	66.3

資料:カルチャースタディーズ研究所+(株)読売広告社「女性1次調査」

70・6％となり、確実に所得が上昇していることがわかる（表4‐19）。

それに対して23〜27歳のフリーターは200万円未満が73・7％と非常に多く、33〜37歳になると200万円未満が81・8％に増えてしまう。

派遣社員は23〜27歳では200〜400万円が65・9％いるが、33〜37歳では60・0％であり、ほとんど所得が伸びていない。当然だが、フリーターや派遣社員を続けて年をとっても所得は上がらないのである。

派遣社員、フリーターの結婚、子育ては不利

また、職業別に未既婚・家族形態を見ても、派遣社員、フリーターが結婚し、子育てをするのに不利な状況にあることがわかる（表4‐20）。

職業を年齢ごとにトレースすると、一般職は23〜27歳では53・0％が未婚で親元におり、39・4％が未婚で一人暮らしをしている。しかし28〜32歳になっても親元暮らしはあまり減らず43・4％。他方23・7％が結婚し、9・8％が子供をもうける。そして33〜37歳では44・3％が結婚し、21・6％が子供を持つ。23〜27歳では132名いた一般職の女性は33〜37歳では88名に、つまり3分の2に減っている。つまり残り3分の1は結婚、出産を機に一

表4-19　職業別個人所得

(%)

	23～27歳女性					33～37歳女性				
	n	収入なし	200万未満	400万未満	400万以上	n	収入なし	200万未満	400万未満	400万以上
管理職	3	—	—	66.7	33.3	4	—	—	—	100.0
総合職	46	—	6.5	58.7	34.8	17	—	5.9	23.5	70.6
一般職	132	—	21.2	71.2	7.6	88	—	10.2	60.2	29.5
店員・セールス・飲食・サービス	14	—	57.1	35.7	7.1	5	—	20.0	40.0	40.0
正規職員その他	10	—	20.0	60.0	20.0	5	—	40.0	20.0	40.0
派遣社員・契約社員	85	1.2	30.6	65.9	2.4	60	3.3	28.3	60.0	8.3
フリーター	57	3.5	73.7	21.1	1.8	11	—	81.8	18.2	—
専門学校生	5	40.0	60.0	—	—	—	—	—	—	—
大学生	9	33.3	55.6	11.1	—	—	—	—	—	—
大学院生	11	27.3	72.7	—	—	—	—	—	—	—
主婦(パートなどで働いている)	14	—	100.0	—	—	58	3.4	91.4	5.2	—
主婦(趣味の延長で働く程度)	12	16.7	83.3	—	—	22	4.5	86.4	—	9.1
主婦(まったく働いていない)	60	78.3	20.0	1.7	—	194	86.1	12.4	1.0	0.5
家事手伝い・無職(主婦以外で)	24	37.5	62.5	—	—	7	42.9	57.1	—	—
自営業・会社(団体)役員・経営者	6	—	50.0	50.0	—	5	20.0	60.0	20.0	—
自由業・フリーランス	12	—	66.7	25.0	8.3	22	—	50.0	36.4	13.6

資料:カルチャースタディーズ研究所+(株)読売広告社「女性1次調査」

般職を辞めたと考えられる。

それに対して、総合職の女性は、23～27歳のときは親元に住んでいる人が54・3％で一般職とほぼ同じだが、28～32歳になると、27・2％が結婚し、9・1％が子供を持つ。

また27・2％という数字は一般職よりも多い数字だが、これは先述したように、一般職の女性は結婚して仕事を辞める人が多いためであり、総合職の方が結婚が早いわけではないだろう。

しかし、一見総合職の女性の方が、晩婚のように思われがちだが、このデータを見る限り、総合職の女性は一般職の女性並みのスピードで結婚し、出産すると言えそうである。また注目されるのは、28～32歳の既婚子なしの総合職は4・5％が親元に住んでいるという点である。さらに33～37歳になると、41・2％が結婚し、17・7％が子供を持つが、やはり5・9％が親と同居している。

つまり既婚総合職の女性の就労継続を可能にしている一つの要因は、その女性の母親の支援だということがわかる。『アエラ』の特集によく出てくるタイプだ。

しかし総合職の女性は23～27歳では46名いるのが、33～37歳では17名に減る。同じ世代を経年的にトレースしたデータではないので断言はできないが、総合職で入社しても約3分の

表4-20　職業×未婚・既婚家族形態

[23〜27歳] (%)

未婚・既婚と家族形態	n	未婚		既婚子なし		既婚子あり	
		親元（パラサイト）	一人暮らし	夫のみ	夫と親	夫と子	夫と子と親
総合職	46	54.3	39.1	4.3	0.0	2.2	0.0
一般職	132	53.0	39.4	6.8	0.0	0.8	0.0
派遣社員・契約社員	85	47.1	43.5	8.2	0.0	1.2	0.0
フリーター	57	73.7	26.3	0.0	0.0	0.0	0.0

[28〜32歳] (%)

未婚・既婚と家族形態	n	未婚		既婚子なし		既婚子あり	
		親元（パラサイト）	一人暮らし	夫のみ	夫と親	夫と子	夫と子と親
総合職	22	31.8	40.9	13.6	4.5	9.1	0.0
一般職	122	43.4	32.8	12.3	1.6	9.0	0.8
派遣社員・契約社員	81	46.9	27.2	23.5	0.0	2.5	0.0
フリーター	26	69.2	26.9	3.8	0.0	0.0	0.0

[33〜37歳] (%)

未婚・既婚と家族形態	n	未婚		既婚子なし		既婚子あり	
		親元（パラサイト）	一人暮らし	夫のみ	夫と親	夫と子	夫と子と親
総合職	17	29.4	29.4	23.5	0.0	11.8	5.9
一般職	88	18.2	37.5	22.7	0.0	21.6	0.0
派遣社員・契約社員	60	35.0	21.7	36.7	1.7	5.0	0.0
フリーター	11	63.6	27.3	0.0	9.1	0.0	0.0

資料：カルチャースタディーズ研究所＋（株）読売広告社「女性1次調査」

2は結婚、出産で仕事を辞める可能性があると言える。

さて派遣社員はどうか。派遣社員・契約社員の数は加齢によってあまり減らない。23〜27で85名、33〜37歳でも60名である。

派遣社員は23〜27歳では未婚で親元暮らしが47・1％と、総合職、一般職よりやや少なく、一人暮らしが43・5％とやや多い。その理由は不明であるが、地方出身者の女性の方が就職が不利であり、正社員になりにくいという事情があるのかも知れない。

そして派遣社員は28〜32歳になっても未婚で親元暮らしが46・9％のままである。他方、一人暮らしは減って、既婚者が26・0％となる。しかし子供がいるのは2・5％と、総合職、一般職と比べて少ない。

さらに派遣社員は33〜37歳になっても、親元暮らしが35・0％もおり、既婚率は43・4％に上昇するものの、子供のいる率は5・0％と低い。

つまり派遣社員は結婚、出産がしにくい雇用形態ではないかという仮説が成り立つ。

現在の少子化対策はどちらかというと総合職女性、あるいは一般職を含めた正社員の女性の支援が中心であるように思われる。しかしこれだけ派遣社員、契約社員が増加しており、かつそれらの女性は働き続けても所得が増えず、よって出産がしにくいという状況を打破しなければ、少子化に歯止めをかけることは不可能だろう。

最後にフリーターを見る。フリーターは23〜27歳では親元暮らしが73・７％である。28〜32歳でも69・２％が親元暮らしであり、既婚率は３・８％のみ、子供のいる者はゼロ。さらに33〜37歳でも63・６％が親元暮らしであり、既婚率は９・１％、つまり１人のみで、親元に住んでいる。そしてやはり子供のいる者はゼロである。

もちろん女性は結婚すれば普通は主婦と回答するので、結婚してもなおフリーターと回答するのは、パラサイトフリーター夫婦と考えられる。つまりフリーター同士で結婚したが、所得が少なく自立できないので親元に住んでいるのである。そういう女性が、今回のアンケートでは１人いたということである。

家族形態は多様化したが、幸福の形は必ずしも多様化していない

こうして配偶関係、家族形態、職業などの観点から階層意識を見てくると、従来型の理想の結婚像や家族像は決して弱体化はしていないことがわかる。

たしかに、女性の社会進出によって、女性の生き方は多様化し、結果として夫婦のみ世帯の増加など、家族形態も多様化したが、必ずしも幸福の形が多様化したというところまでは

やはり専業主婦がいちばん幸せか？

いっていない。
もちろんこれは社会が過渡期にあるからかも知れない。が、少なくとも現状では、最も階層意識が高く生活満足度も高いのは裕福な男性と専業主婦と子供のいる家庭であり、次いで裕福な夫婦のみの世帯である。未婚でも既婚でも、一人暮らしでもパラサイトでも、子供がいてもいなくても、専業主婦でも共働きでも、同じような階層意識と満足度が得られるほど多様化した状況にはなっていないと言えるであろう。

コラム2　恋愛にも階層の壁ふたたび

恋愛結婚は1955年体制の夢

恋愛結婚というものも、1955年体制において発達した結婚形式だと言える。事実1955年当時35%ほどだった恋愛結婚率が、75年には65%にまで急増した。

55年体制は近代化の時代だから、政治的には民主化、経済的には工業化、それに伴って都市化と大衆消費社会化が進む。職業は農民・自営業者から雇用者化し、家族形態は大家族から核家族化し、教育は高学歴化し、文化的には個人主義化が進む。そういう55年体制の潮流の中に恋愛結婚も位置づけられる。

そもそも民主化が進まないと自由恋愛はできない。個人の自由のない社会では恋愛結婚は難しい。階級や身分の壁が存在していてはだめである。そういう意味で、まさに恋愛結婚は中流化の時代にふさわしい結婚形式だったと言える。

具体的には思い出せないが、1970年代までは、家柄の違う男女が親の反対を押し切って結婚するとか駆け落ちするといったドラマがたくさん作られていた気がする。家柄や階級を乗り越えるのが真の恋愛結婚だとロマンチックに信じられていたからだろう。たしかに私が以前インタビューした若者は、両親が団塊世代で、母親は有名な政治家の家の生まれだったが、あえてお嬢様大学に進まずに早稲田大学に入り、下町出身の父親と結婚したのだと言っていた（三浦展『仕事をしなければ、自分はみつからない。』参照）。

晩婚化の理由は階層化

しかし、そのように自由恋愛が輝きを持っていた時代は70年代がピークであったに違いない。80年代以降、日本社会が次第に階層化してきたとするならば、当然、再び自由恋愛結婚が困難になってきているはずだ。

たしかに80年代以降、晩婚化が進んだ。その理由は女性の社会進出であり何でありと、いろいろ理由はある。

が、最も重要でありながら、これまで、小倉千加子や山田昌弘を別とすれば、あまり誰も語りたがらなかったのは、80年代以降、階層化が進んで自由恋愛が困難になったという点ではないだろうか。

実際、結婚ほど同じ階層の人間同士を結びつけるものはない。個人だ、自由だとはいっても、そもそも異なる階層の人間と出会うチャンスがないし、出会っても、恋愛の、ましてて結婚の対象とは考えないのが普通である。一流商社マンはパチンコ屋で働くおねえちゃんとは結婚しないし、ミリオネーゼ系女性は自分のオフィスを掃除する男性とは結婚しないのだ。なぜか。所得、職業、学歴、趣味などなど、すべてにわたって階層が違うからだ。階層が違うと話も合わないからだ。どんなに相手がいい人でも、結婚となると、その問題が頭をもたげる（筑波大学助教授の白波瀬佐和子は『少子高齢社会のみえない格差』において１９９０年代後半においても結婚行動の背景に学歴、出身階層、個人の所得といった階層性が存在していることを指摘している）。

宮台真司はなぜ結婚したか？

それが証拠に、不良女子高生の援助交際をあれだけ煽《あお》った社会学者・宮台真司さえ、トラウマ系バツイチ子連れジャーナリストとの同棲生活には不満だったのか、結局は、東大名誉教授の娘にして日本女子大卒の、いまどき珍しい純潔な20歳も年下の女性と「ふと目が合って激震が走」り、彼女の父親に「うちはクリスチャンなので離婚はできません」と釘を刺されながらも、めでたく入籍したという（『週刊新潮』2005年3月17日号）。

なぜ宮台を激震が襲ったか？　それは彼女が宮台と同じ階層だったからではないか？一族みな東大、祖父も東大教授で昭和天皇に御進講をした生物学者だったという、そういう宮台家にふさわしい女性に、彼は反応してしまったのではないか。いくら既存体制の破壊者を気取り、売春合法化を訴える人間でも、こと自分自身の結婚においては階層性の壁を打ち破ることができないという事実の何よりの証左であろう。

上野千鶴子がイケメン医師と結婚して専業主婦になったら、きっと世間は嘲笑《あざわら》うだろう。それなのに、援助交際を煽った宮台がこんなに保守的な結婚をしても誰も何も言わないのは、なぜなのか？　千石イエスのおっちゃんのように、宮台がリストカット常習援交女子高生を集めたキャバクラでも作ってくれれば、私は拍手喝采だったのだが。

第5章　自分らしさを求めるのは「下流」である？

自分らしさ志向は「下」ほど多い

「欲求調査」によると、団塊ジュニアの男性で「生活の中で大事にしていること」として「個性・自分らしさ」を挙げた者は、階層意識が「上」の者では25・0％なのに「下」の者では41・7％いる。同様に「自立・自己実現」も「上」は16・7％だが、「下」は29・2％である。

団塊ジュニア女性も「個性・自分らしさ」が「上」では35・3％なのに「下」では51・6％。「自立・自己実現」は「上」では5・9％なのに「下」では19・4％となっている（表5－1）。

なぜそうなるのか？　「自分らしさ」や「自己実現」を求める者は、仕事においても自分らしく働こうとする。しかしそれで高収入を得ることは難しいので、低収入となる。よって生活水準が低下する。そういう悪いスパイラルにはまっているのではないかと推測される。

団塊世代と団塊ジュニアは逆の傾向

ところが、団塊世代では団塊ジュニアと逆の傾向が出た。特に団塊世代の男性では、「上」に自分らしさ志向、自己実現志向が非常に強い。「個性・自分らしさ」志向は「下」では29・7％しかいないが、「上」では64・3％もいる。「自立・自己実現」志向も「下」では18・9％だが「上」では35・7％である（表5－2）。

これはどういうことだろうか？

団塊世代も若いときは「上」よりも「下」の方が自分らしさ志向が強かったが、その後、自分らしさ志向の人が次第に仕事で成功し「上」になり、逆に、自分らしさ志向の弱い人は平凡なサラリーマン生活を送り、最後はリストラされて「下」になったという解釈も成り立たないことはない。

しかし、それよりも、団塊世代の「上」が若いときから発しつづけてきた「自分が好きな

表5-1　団塊ジュニア・階層意識別・生活全般で大事にしていること（主な項目）

男性・高階層ほど高いもの

（%）

	上	中	下
n	12	40	48
ゆとり	66.7	37.5	43.8
仲間・人間関係	50.0	42.5	31.3
創造性	33.3	17.5	16.7
活動的・アクティブ	33.3	10.0	16.7

男性・低階層ほど高いもの

	上	中	下
n	12	40	48
個性・自分らしさ	25.0	25.0	41.7
自立・自己実現	16.7	20.0	29.2

女性・高階層ほど高いもの

	上	中	下
n	17	52	31
ゆとり	64.7	50.0	32.3
美・おしゃれ	29.4	21.2	16.1
公正さ・品の良さ	41.2	21.2	16.1

女性・低階層ほど高いもの

	上	中	下
n	17	52	31
個性・自分らしさ	35.3	44.2	51.6
仲間・人間関係	35.3	44.2	51.6
やりがい	17.6	28.8	32.3
自立・自己実現	5.9	17.3	19.4

資料：カルチャースタディーズ研究所＋（株）イー・ファルコン「欲求調査」

表5-2　団塊世代男性・階層意識別
生活全般で大事にしていること

(%)

	上	中	下
n	12	40	48
個性・自分らしさ	64.3	35.4	29.7
自立・自己実現	35.7	14.6	18.9

資料：カルチャースタディーズ研究所＋（株）イー・ファルコン「欲求調査」

ことをすればいいのさ」というメッセージが、過去30年間、次第に社会的風潮として広がっていき、同時に、社会の豊かさが増していく中で、その風潮が後続世代の「下」にまで浸透したと考えた方が自然であろう。

だが、それだけなら、団塊ジュニアの「上」でも「自分らしさ」「自己実現」志向が高くてもよいはずであり、ましで低くなることは説明できない。

とすると、そうした価値観の浸透が、好きなことだけしたいとか、嫌いな仕事はしたくないという若者を「下」においてより増加させ、結果、低所得の若者の増加を助長したと考えることができそうである。

つまり、象徴的に言えば、村上龍の『13歳のハローワーク』を読んで、そうだ、自分が本当に好きなことを見つけて、それを仕事にしようと真に受けて自分探しを始めた若者は、結果としていつまでもフリーターを続けて

表５-３　世代別・階層意識別　人生に対する考え方として「自由に自分らしく生きること」の回答率

（％）

		上	中	下
団塊ジュニア	男性	58.3	57.5	75.0
	女性	64.7	57.7	64.5
新人類	男性	62.5	52.1	75.0
	女性	76.9	65.4	57.1
団塊	男性	64.3	47.9	56.8
	女性	69.0	51.7	61.0
昭和ヒトケタ	男性	55.6	55.4	67.6
	女性	50.0	59.7	72.2

資料：カルチャースタディーズ研究所＋（株）イー・ファルコン「欲求調査」

30歳になっても低所得に甘んじ、低階層に固定化されていく危険性が高いかも知れないということである。

自分らしい人生という呪文

また「あなたの人生に対する考え方について、近いものは下記のうちどれですか」という質問で、「自由に自分らしく生きること」を選んだのは、団塊ジュニアの男性の「上」では58・3％だったが、「中」では57・5％、「下」では75・0％（表5－3）。同様に、新人類世代でも昭和ヒトケタ世代も「下」ほど多い。それに対して団塊世代の男性の「上」では64・3％、「中」では47・9％、「下」では56・8％と、「上」ほど多いのである。

他方、女性は、団塊ジュニア世代では階層意識による差がなく、昭和ヒトケタ世代では「下」で多いのに対して、新人類世代と団塊世代では「上」ほど多い。

いずれにしろ、団塊世代では男女ともに「自由に自分らしく生きること」という人生観が「上」ほど支持されているのである。

「個性を尊重した家族」も「下」ほど多い

さらに、興味深いことに、理想の家族像を聞いた質問に対する回答で、「個性を尊重した家族」「それぞれが自立した家族」を選ぶ者も、団塊世代では男女とも「上」に多い（表5-4）。

ところが、団塊ジュニア世代ではそうした家族像はやはり「下」で支持されているのだ。いわゆる友達親子的なスタイルが、団塊世代の「上」から団塊ジュニア世代の「下」に伝播《でんぱ》したのではないかと思われる傾向なのである。

たしかにこの「個性」とか「自分らしさ」という言葉は、団塊世代の青年期に登場し始め、その後広く社会を覆った言葉である。

たとえば、団塊世代男性向けに1967年に発売された資生堂化粧品MG5は、男性の個

表５-４　「個性を尊重した家族」が理想の家族と回答した者の割合（階層意識別）

（%）

		上	中	下
団塊ジュニア	男性	16.7	32.5	43.8
	n	12	40	48
	女性	35.3	40.4	48.4
	n	17	52	31
団塊世代	男性	71.4	31.3	37.8
	n	14	48	37
	女性	84.6	53.4	41.4
	n	13	58	29

資料：カルチャースタディーズ研究所＋（株）イー・ファルコン「欲求調査」

性表現を宣伝文句にしていたし、１９７０年頃の日産ブルーバードの広告は「素晴らしき個性集団」だった。そのほかにも、私の個人的な記憶だが、１９７０年代の広告には、個性という言葉がよく使われるようになったように思う。

つまり、団塊世代は消費社会の主役として、１９６０年代以降、個性的であることを善として生きてきたと言えるのであり、特に、社会的なオピニオンリーダー層ほど強く個性志向を呪文のように唱えてきたと言えるだろう。

こうして過去30年間、団塊世代を中心にして社会が発しつづけてきた、個性、自分らしさ重視の思想が広がっていく中で、また、社会がより豊かになっていく中で、より「下」

の若者でも個性や自分らしさを重視できる社会が実現されてきたと言えるであろう。

低階層の若者ほど自己能力感がある

だが、こうして自分らしさ志向が広がっていった結果として、若い世代では「下」ほど自分らしさ志向が強く、「上」ほど自分らしさ志向が弱いという逆転が起きたことは、やはりにわかには理解しがたい状況である。

しかしこれは、教育社会学者の苅谷剛彦東京大学大学院教授が、親の階層が低い高校生ほど学習以外に自己能力感のある者が多いと指摘したことと呼応しているように思われる。

苅谷教授によれば、1979年の調査では、「自分は人よりすぐれたところがある」と回答する（つまり自己能力感のある）高校生は親の学歴が高いほど多かった。ところが97年の調査では、同じ質問で親の学歴による差が消滅している。親の学歴が高くても低くても高校生は自分にすぐれたところがあると思えるようになったのである。

これだけを見れば、よいことのようだ。

しかし、苅谷教授によれば、79年は、自己能力感のある生徒ほど学校外での学習時間が長かった。それに対して、97年は、自己能力感と学校外での学習時間に相関がなくなった。そ

シルバーシートで眠る若者

れどころか、自己能力感のある生徒ほど、学習時間が短い傾向さえあったというのである。

さらに79年は、自己能力感のある生徒ほど、より高い学歴を求めた。しかし、97年は、自己能力感のある生徒ほど、高い学歴を求めないようになったという。

また、出身階層が低い生徒にのみ見られる傾向として、「将来のことを考えるよりも今の生活を楽しみたい」という「現在志向」的な価値観が強い生徒ほど自己有能感が強い。同時に、「あくせく勉強してよい学校やよい会社に入っても将来の生活に大した違いはない」という「成功物語否定的」な価値観の生徒ほど自己能力感が強いという。

つまり、出身階層の低い高校生ほど、学校、学習以外のところで、自己能力感を覚えているということである。自己能力感を自分らしさ志向や自己実現感覚と読み替えれば、下流ほど自分らしさ志向が強いことが説明できるであろう。

自分らしさという夢から覚めない

私は教育学者ではないので、学校以外に自己能力感を覚える若者が増えることが問題だとは思わない。学校以外の、主にサブカルチャーなどの分野で自己有能感を覚える若者の中からは、将来、優秀な漫画家やアニメ作家やミュージシャンが生まれるだろうと期待することもできるはずだ。

ただ、問題があるとしたら、学校にも学校以外にも自己能力感を覚えない高校生が、とりあえず学校で勉強しておこうと思わず、学校以外の趣味やサブカルチャーに見果てぬ夢を見続けることであろう。能力がないのに夢だけ見ていて、いつまでも夢から覚めないのは確かに問題だ。

団塊世代が20代から40代となった1970年代後半から80年代末にかけては、日本の経済は、低成長といえども成長を続けており、バブルもあったので、自分らしさ志向型の人でも成功することが容易であったと言える。私の生きるマーケティング業界にもヒッピーあがりのような人は少なくない。どうしてヒッピーにマーケティングができるのか、専門外の人は疑問だろうが、事実、そうなのだ。

しかし今後もそのような成長が続く保証はない。自分らしさ志向で生きていって、経済的な安定や社会的地位が得られる可能性は減っているかも知れない。多くがフリーターやニートに終わる危険性も高いのであり、それが社会に与えるマイナスの影響についても真剣に考えなければならないことは間違いない。

自分らしさ派は階層意識も生活満足度も低い

そもそも、自分らしさ志向が高いことは、自分らしさを持っていることを意味しない。自分らしさを志向しているのに、思うように自分らしさを実現できないと感じる者は、しばしば生活満足度を低下させ、所得の低さは階層意識を低下させるだろう。

事実、生活の中で自分らしさを大事にしていると回答した者（自分らしさ派）と、そう回答しなかった者（非自分らしさ派）の階層意識を比較すると、自分らしさ派の方が「下」が多い（表5-5）。

また、生活満足度点数も、自分らしさ派の方が80点以上が少ない（表5－6）。自分らしさを志向すること自体はよいのだが、自分らしさを求めるあまり、階層意識と生活満足度の両方を低下させているのである。

ただし、非常に興味深いことに、過去と将来の生活満足度点数を見ると逆である。自分らしさ派の方が男女とも80点以上が多いのだ。つまり若いときは自分らしく生きることで満足が得られたが、30歳を過ぎるとそうはいかなくなった。しかし、いつかは将来はまた満足度が上がるだろうと予想しているのである。

それが現実になるか、はかない夢で終わるかが社会全体にとっても大きな問題になるだろう。

自分らしさ派は、未婚、子供なし、非正規雇用が多い

また未婚率を見ると、男性の自分らしさ派が63・6％、非自分らしさ派が46・3％と、自分らしさ派の方が高い。また女性の自分らしさ派は37・8％、非自分らしさ派は14・5％である。明らかに自分らしさ派の方が結婚しないのである（表5－7）。

家族形態を見ると、男性の自分らしさ派では一人暮らし、親と同居が多く、また夫婦二人

表5-5　団塊ジュニアの自分らしさ派と非自分らしさ派の階層意識

(%)

		n	上	中	下
自分らしさ派	男性	33	9.1	30.3	60.6
	女性	45	13.3	51.1	35.6
非自分らしさ派	男性	67	13.4	44.8	41.8
	女性	55	20.0	52.7	27.3

資料：カルチャースタディーズ研究所＋(株)イー・ファルコン「欲求調査」

表5-6　団塊ジュニアの自分らしさ志向別生活満足度点数（過去・現在・将来）

(%)

		男性		女性	
		自分らしさ派	非自分らしさ派	自分らしさ派	非自分らしさ派
n		33	67	45	55
過去	60点未満	30.3	31.3	13.3	23.6
	60〜79点	36.4	43.3	42.2	38.2
	80点以上	33.3	25.4	44.4	38.2
現在	60点未満	27.3	25.4	17.8	14.5
	60〜79点	45.5	38.8	37.8	34.5
	80点以上	27.3	35.8	44.4	50.9
将来	60点未満	6.1	10.4	0.0	9.1
	60〜79点	15.2	32.8	15.6	16.4
	80点以上	78.8	56.7	84.4	74.5

資料：カルチャースタディーズ研究所＋(株)イー・ファルコン「欲求調査」

表5-7　団塊ジュニアの自分らしさ志向別未婚率

(%)

	自分らしさ派	非自分らしさ派
男性	63.6	46.3
n	33	67
女性	37.8	14.5
n	45	55

資料：カルチャースタディーズ研究所＋(株)イー・ファルコン「欲求調査」

表5-8　団塊ジュニアの自分らしさ志向別家族形態

(%)

	男性		女性	
	自分らしさ派	非自分らしさ派	自分らしさ派	非自分らしさ派
n	33	67	45	55
一人暮らし	27.3	14.9	11.1	10.9
夫婦二人(共働き)	12.1	11.9	11.1	14.5
夫婦二人(妻は専業・パート)	15.2	9.0	15.6	16.4
夫婦と子供(共働き)	0.0	6.0	4.4	3.6
夫婦と子供(妻は専業・パート)	9.1	22.4	26.7	43.6
本人と子供	0.0	0.0	0.0	1.8
親と同居(本人未婚)	30.3	25.4	24.4	3.6
3世代(親、本人、子供)	0.0	4.5	2.2	1.8
3世代(本人、子供、孫)	0.0	1.5	2.2	0.0
その他	3.0	4.5	2.2	3.6

資料:カルチャースタディーズ研究所+(株)イー・ファルコン「欲求調査」

世帯(かつ妻が専業主婦かパートタイム)も多いが、夫婦と子供の世帯(同)は少ない(表5-8)。

女性の自分らしさ派では、やはり親と同居が多く、夫婦と子供の世帯(同)は少ない。

このように、自分らしさが大事だから一人暮らし、親と同居、夫婦二人だけの生活を続けているとおぼしき傾向が見て取れる。自分らしさ派では、結婚して子供を作るという普通の人生に自分らしさを感じられないのだとも言える。

また自分らしさ志向を職業別に見ると、男性の自分らしさ派ではフリーターが多く、女性の自分らしさ派ではパート・アルバイト、フリーター、派遣社員が多く、専業主婦は少

表5-9　団塊ジュニアの主な職業別自分らしさ志向（主な項目）

（%）

		n	自分らしさ派	非自分らしさ派
男性	会社経営者・役員・管理職	3	0.0	100.0
	営業職	9	33.3	66.7
	事務職	27	37.0	63.0
	専門職・技術職	33	27.3	72.7
	自営業、自由業	3	66.7	33.3
	公務員	5	40.0	60.0
	販売・サービス・現業職	7	14.3	85.7
	パート･アルバイト、フリーター	5	60.0	40.0
女性	事務職	18	44.4	55.6
	派遣社員	9	66.7	33.3
	パート･アルバイト、フリーター	12	66.7	33.3
	専業主婦	43	32.6	67.4

資料：カルチャースタディーズ研究所＋（株）イー･ファルコン「欲求調査」

ない（表5-9）。

このように、自分らしさ派ほど、未婚者、子供のない者、非正規雇用者が多いことは明らかであり、晩婚化、少子化の原因が、この自分らしさ派にあるとも言えるほどである。

そんなことを書いて、自分らしさ派バッシングをするのは問題かとも思う。また、もちろん雇用環境の悪化と産業構造の変化が非正規雇用を増やしたのであり、そのため低所得層が増加し、結果、未婚が増え、少子化しているという経済的側面を見逃すつもりはない。

しかし、そこにさらに「自分らしさ志向」という価値観的な要因が加わることで、ますます未婚率が上昇し、少子化が進んだという側面があることも否定できないであろう。

こうして見てくると、一部で言われているように、フリーターなどの非正規雇用は、たしかに自分らしく働くために選択されている面があるのだが、しかし、それが所得の上昇や結婚のチャンスを低下させ、ひいては生活満足度も低下させる選択だということがわかる。

もしその不安定で不満の多い選択が自分らしさと引き替えになされているとしたら、われわれは、過去30年以上にわたって社会の主流的な価値観となった「自分らしさ」という、まるで青い鳥のような観念を、一体今後どのように取り扱うべきなのか。そして、すでにその青い鳥の虜《とりこ》になった団塊ジュニア世代以降の若者にどう対処すべきなのか。われわれは今、そうした問題を突きつけられている。

自分らしさ志向の問題点

ここまで見てきたように、現代の若者は、階層意識が低い者の方で自分らしさ志向が強く、また次章で見るように、しばしば非活動的で、ひとりでいることを好む。

逆に言えば、自分らしさにこだわるが、性格が内向的な者は、仲間が少なく、就職活動もうまくいかず、フリーターになりがちであり、結果、所得が少なくなり、階層意識が低下するのだとも考えられる。

実際、「女性１次調査」によると、正規職員と、フリーターを含む非正規職員とで、価値観がかなり異なっていた。

たとえば、「その日その日を楽しんでいきたい」「他人や社会に干渉されずに生きたい」「創造的・クリエイティブな生き方をしたい」「面白い人生を歩みたい」という自分らしさ志向的な回答はあきらかに非正規職員で多い。他方、「目標を持って計画的に生きたい」は非正規職員では低い。

また、自分らしさを表現する言葉としては、正規職員では、「てきぱきした」「品がよい」「エレガント」「人づきあいが上手、社交的」が多く挙がっているが、非正規職員では「一人でいるのが好き」「のんびりした」「こだわりが強い」が多く、「明るい」「てきぱきした」が少ない。

そして階層意識は、正規職員では「上」11・1％、「中」44・8％、「下」44・0％であるのに対して、非正規職員では「上」５・５％、「中」33・３％、「下」61・２％と、明らかに非正規職員の階層意識が低い。

「ひきこもり」研究の第一人者である精神科医の斎藤環は、コミュニケーション能力が高いか低いかが、若者に勝ち組、負け組意識を植え付けることをつとに指摘している。コミュニケーション能力が高い者は、よりよい就職をし、より高い所得を得て、より恵まれた結婚をし、結果、より高い階層に属する可能性が高い。

他方、自分らしさにこだわりすぎて、他者とのコミュニケーションを避け、社会への適応を拒む若者は、結果的には低い階層に属する可能性が高いのである。

コラム3　ドラゴン桜メソッドは下流化を食い止める？

社会が階層化、二極化、下流化の流れにあるからこそ、その流れに逆らう上昇意欲に満ちた表現に新鮮味が感じられることがある。人気漫画でテレビドラマにもなった『ドラゴン桜』がその良い例だ。

筋書きは、経営破綻した三流私立高校の立て直しにやってきた弁護士・桜木建二が、高校を超進学高校に変貌させようとする。まずは生徒の中から意欲のある生徒男女各一名を選抜し、東大進学を目指して特別授業を行い、みるみる実力を上げていく……。

特別授業のノウハウが現役東大教授やホリエモン、「声に出して読みたい日本語」の齋藤孝・明治大学教授、杉並区立和田中の藤原和博校長らによって評価されているほか、

つまり お前らみたいに 頭使わずに 面倒くさがって ると……
一生 だまされて 高い金 払わされるんだ

© 三田紀房／講談社

桜木が発する人生訓が、現在の混迷した教育界や社会全体に蔓延《まんえん》している価値観への挑戦状とも受け取れて、すがすがしい。

たとえば、次のようなセリフ。

「社会のルールってやつはすべて頭のいいやつが作っている。そのルールは頭のいいやつに都合のいいように作られているんだ。逆に都合の悪いところはわからないように隠してある。つまりお前らみたいに頭使わずに面倒くさがってると……一生だまされて高い金払わされるんだ。だまされたくなかったら、損して負けたくなかったら、お前ら、勉強しろ」

「お前らガキは社会について何も知らないからだ。知らないというより大人は教えないんだ。そのかわり、未知の無限の可能性なんて、なんの根拠もない無責任な妄想を植えつけてんだ。そんなものに踊ら

つまりテンポ良く
テキパキとこなす
要領の良さが
求められるのだ

© 三田紀房／講談社

されて、個性生かして、人と違う人生送れると思ったら大間違いだ！（東大に入れば）なんの夢も描けねえ真っ暗闇から抜け出せるんだ」

「カタ（型）がなくておまえに何ができるっていうんだ。素のままの自分からオリジナルが生み出せると思ったら大間違いだ！　カタにはめるな！　なんてホザくやつはただのグータラの怠け者だ！」

「ナンバーワンにならなくていい。オンリーワンになれだぁ？　ふざけるな。オンリーワンていうのはその分野のナンバーワンのことだろうが。」

上流の子供は、あらかじめ下流の人間とは異なるように育てられる。生活態度、言葉づかい、勉強のしかた、すべてが相互に関連して、上流らしさが作られる。

しかし、中流や下流の若者は、学校や家庭を通じて、誰もが平等だといって育てられる。ところが中学、高校、大学、就職と進むに連れて、社会には上も下もあることに気づかされ、ショックを受ける。そして社会から離脱していくのである。『ドラゴン桜』の面白さは、社会にある不平等を、自由、個性、オンリーワンなどという言葉で隠している大人の欺瞞《ぎまん》を暴き、子供たちに社会の真実を知らしめ、だからこそあきらめずに努力しろと主張するところにある。

そして、東大に入れるかどうかは先天的な能力の差ではなく、挨拶をするとか、脱いだ靴を揃えるといった当たり前の生活態度が基礎にあり、その上で問題をテキパキと解いていくことが重要だと主張する。まさに、社会の下流化にパンチを浴びせる傑作である。

ちなみに「百ます計算」で有名になった陰山英男は、実は「百ます計算」だけで学力を向上させたのではないという。では何をしたかというと、「早寝、早起き、朝ごはん」を習慣づけたのである。そういう生活の基本から教えないと、下流化した現代の親は、夜の10時過ぎに子供を連れて居酒屋やカラオケに行ってしまう。これではゆとり教育でなくても学力が下がるのは当然であろう。

第6章　「下流」の男性はひきこもり、女性は歌って踊る

下流社会の三種の神器＝3P

本章では、階層意識別に団塊ジュニア世代の趣味と消費を見ていく。

まず、「あなたの趣味は何ですか」という問いに対して、用意した選択肢から選んでもらった趣味を男女別、階層意識別に比較しよう。

男性の「上」で多いのは、パソコン・インターネット75・0％、旅行・レジャー58・3％、音楽鑑賞58・3％、読書41・7％、自宅での映画鑑賞41・7％、などとなっている。

「中」で多いのは、パソコン・インターネット85・0％、自宅での映画鑑賞57・5％、読書55・0％、旅行・レジャー47・5％、ドライブ・ツーリング47・5％など。

「下」では、パソコン・インターネット95・8％、音楽鑑賞60・4％、読書56・3％、外食・グルメ47・9％、ドライブ・ツーリング45・8％などとなっており、いずれの階層でもパソコン・インターネットが高いことがわかる。

しかし、階層間の差を見ると、「上」ほど多いのは、旅行・レジャー、スキー、サイクリング、数字は小さいがゴルフであり、外に出て行う活動的な趣味が挙がる（表6-1）。

他方、「下」で多いのは、パソコン・インターネット、AV機器、テレビゲームなど、ややオタク・ひきこもり的な傾向が目立つ。外に出るのは音楽コンサート鑑賞とスポーツ観戦であり、おそらくはロックなどのコンサートやJリーグなどに出かけるのであろう。

パソコンというと「デジタルディヴァイド」と言われて、お金のある人は持てるが、お金のない人は持てず、よって所得によってパソコンを使えるかどうかに差がつき、ひいては情報格差がつく、という懸念があった。

しかし今やパソコンは接続料さえ払えば何でも手に入る最も安い娯楽となっており、低階層の男性の最も好むものになっているようである。

もちろん「下」の人々はエクセルでグラフを作ったり、パワーポイントでプレゼン資料を作ったりはしないだろう。ハードを持っているかどうかのディヴァイドはないが、ソフトを使いこなし、それで人を説得できるかというディヴァイドはあるに違いない。

しかしとにかく、パソコンを所有し、それで楽しむという点では階層差はなく、むしろ趣味がパソコン・インターネットである者は「下」ほど多いというのもまた事実なのである。

こうしたことから、私は団塊ジュニアの「下」のキーワードを「3つのP」と表現する。すなわち、

・パソコン（Personal Computer）
・ページャー（Pager）＝携帯電話
・プレイステーション（Play Statiton）＝テレビゲーム

以上3つが団塊ジュニアの特に「下」における三種の神器であろう。

ついでに悪のりしていえば、

・ペットボトル（PET bottle）
・ポテトチップス（Potato chips）

も加えて5Pでもよい。

パソコンの前に座って、ペットボトルの飲料を飲み、ポテトチップスを食べながら、インターネットをしたり、ゲームをしたり、携帯でメールを打ったりしているという姿が浮かび

表6-1　団塊ジュニア男性の階層意識別趣味(主な項目)

「上」ほど多い趣味

(%)

	上	中	下
n	12	40	48
旅行・レジャー	58.3	47.5	29.2
スキー	33.3	17.5	12.5
サイクリング	25.0	5.0	2.1
ゴルフ	16.7	10.0	4.2

「下」ほど多い趣味

(%)

	上	中	下
n	12	40	48
ＡＶ機器	8.3	15.0	22.9
音楽コンサート鑑賞	8.3	10.2	20.8
テレビゲーム	16.7	45.0	43.8
スポーツ観戦	16.7	35.0	41.7
パソコン・インターネット	75.0	85.0	95.8

階層差があまりない趣味

(%)

	上	中	下
n	12	40	48
カラオケ	16.7	22.5	16.7
ドライブ・ツーリング	41.7	47.5	45.8
外食・グルメ	41.7	45.0	47.9

資料：カルチャースタディーズ研究所＋(株)イー・ファルコン「欲求調査」

上がってくるのだ。

下流の女性は歌ったり踊ったりしている

他方、女性はどうか。

「上」で多いものを順番に並べると、読書70・6％、パソコン・インターネット64・7％、自宅での映画鑑賞58・8％、旅行・レジャー58・8％、外食・グルメ58・8％などとなっている。

「中」では、パソコン・インターネット71・2％、読書67・3％、旅行・レジャー59・6％、外食・グルメ59・6％、ショッピング55・8％など。

そして「下」では、パソコン・インターネット67・7％、読書54・8％、自宅での映画鑑賞54・8％、外食・グルメ54・8％、旅行・レジャー48・4％、ショッピング48・4％などとなっている。

これを階層意識別に比較すると、「上」ほど多いのは、読書、ガーデニング、音楽鑑賞、料理などであり、比較的伝統的な専業主婦的な項目が多く選ばれている（表6－2）。

他方、「下」ほど多いのは音楽コンサート鑑賞で男性と同じであるが、そのほかにも楽器

表6-2 団塊ジュニア女性の階層意識別趣味(主な項目)

「上」ほど多い趣味

(%)

	上	中	下
n	17	52	31
読書	70.6	67.3	54.8
園芸・ガーデニング	29.4	17.3	16.1
音楽鑑賞	52.9	48.1	41.9
料理	41.2	34.6	32.3
スポーツ観戦	23.5	15.4	16.1
自宅での映画鑑賞	58.8	40.4	54.8

「下」ほど多い趣味

(%)

	上	中	下
n	17	52	31
音楽コンサート鑑賞	5.9	15.4	25.8
楽器の演奏	5.9	11.5	16.1
絵画・イラスト制作	0.0	5.8	9.7
ダンス・舞踏	0.0	1.9	9.7

階層差があまりない趣味

(%)

	上	中	下
n	17	52	31
パソコン・インターネット	64.7	71.2	67.7
旅行・レジャー	58.8	59.6	48.4
外食・グルメ	58.8	59.6	54.8
ショッピング	47.1	55.8	48.4

資料:カルチャースタディーズ研究所+(株)イー・ファルコン「欲求調査」

の演奏が多い。

また数字は小さいが、絵画・イラスト制作、ダンス・舞踏などサブカルチャー系の趣味が多いのであり、早い話が、歌ったり踊ったり、絵を描いたりしているのである。これも先述した苅谷教授の説と対応する傾向である。「下」ほどサブカルチャー的な趣味に自分らしさを見いだすのである。

カーニヴァル化する社会

社会学者の鈴木謙介は、今後起こる日本社会の分極化の中で、大衆が「瞬間的な盛り上がり」によってもたらされる「内的に幸福」な状態（＝カーニヴァル）を持ちつつ、「客観的には搾取《さくしゅ》され、使い捨てられる」危険性を指摘しているが（『カーニヴァル化する社会』）、歌ったり踊ったりすることを自分らしさとして楽しむ下流は、まさにカーニヴァル化する社会を象徴していると言えよう。

ただし私は鈴木の青臭い二元論に賛成しているのではない。

私は、「内的に幸福」でも「客観的には搾取され、使い捨てられる」のは間違いだとは言えないと考える。少なくともそれは、内的にも客観的にも不幸な状態よりはましだと言わざ

駅の階段で倒れ込んだ若者

るを得ない。

たしかに、客観的に搾取されている限りは、真の意味で内的な幸福はあり得ないとか、まずは客観的に搾取されていることを自覚すべきだとかいう、いかにも全共闘的な（宗教的な）原理主義的議論も成り立つだろう。が、そういう「純な」議論の建て方が最終的には破綻せざるを得ないことは歴史が証明している。

現実には、客観的には（あまり）搾取されていなくても、それが自覚できず、あるいはそれだけでは満足できず、内的に不幸である可能性も十分ある。とすれば、客観的な搾取の完全な排除に本当に意味があるかという問題も成り立つ。

そしてもちろん多くの人間は、客観的に搾取されていることを自覚してはいるが、それをどうしようもないために、ある程度内的に不幸なのであり、他方では、その程度の不幸なら瞬間的な盛り上がりやら何やらを介して適当にやり過ごすことができる程度にタフなのである。

ただ、私もやや危惧するのは、その瞬間的な盛り上がりさえもが、鈴木も指摘するようなサッカーワールドカップなどの娯楽イベント的なメディアを中心にあまりに装置化され、管理されているという点である。つまり、内的に不幸な人間が、その不幸を自分自身の力で解消するタフさを持たず、大きなメディアイベントに依存した受動的な存在になっているのではないかという点である。

「下」は自民党とフジテレビが好き

実際、「欲求調査」でも、先述したように団塊ジュニア男性の「下」ほどスポーツ観戦が好きであり、またフジテレビをよく見ている。具体的に言うと、「朝のニュースを見るテレビ局」としては、「上」は33・3％がNHKで最も多いのに対して、「下」は39・6％がフジテレビなのである（表6－3）。

表6-3　男性・世代別　よく見るテレビ局

（%）

	団塊ジュニア世代			新人類世代			団塊世代			昭和ヒトケタ世代		
	上	中	下	上	中	下	上	中	下	上	中	下
n	12	40	48	16	48	36	14	48	37	9	56	34
朝のニュース												
NHK	33.3	27.5	10.4	18.8	20.8	25.0	57.1	52.1	37.8	77.8	69.6	73.5
日本テレビ	8.3	22.5	10.4	12.5	16.7	13.9	14.3	25.0	32.4	22.2	14.3	8.8
TBS	16.7	7.5	8.3	0.0	6.3	13.9	7.1	0.0	2.7	0.0	0.0	0.0
フジテレビ	16.7	27.5	39.6	37.5	35.4	8.3	14.3	10.4	16.2	0.0	5.4	8.8
テレビ朝日	8.3	5.0	12.5	6.3	6.3	8.3	0.0	2.1	2.7	0.0	5.4	2.9
テレビ東京	8.3	5.0	4.2	0.0	4.2	2.8	0.0	2.1	0.0	0.0	0.0	0.0
その他	0.0	0.0	0.0	0.0	0.0	5.6	0.0	2.1	0.0	0.0	3.6	0.0
朝、ニュースは見ない	8.3	5.0	14.6	25.0	10.4	22.2	7.1	6.3	8.1	0.0	1.8	5.9
夜の番組全般												
NHK	25.0	17.5	12.5	31.3	16.7	19.4	35.7	41.7	29.7	77.8	37.5	52.9
日本テレビ	8.3	2.5	6.3	6.3	6.3	11.1	7.1	12.5	8.1	11.1	19.6	5.9
TBS	8.3	0.0	12.5	0.0	6.3	5.6	7.1	8.3	5.4	0.0	7.1	8.8
フジテレビ	33.3	55.0	33.3	25.0	35.4	22.2	0.0	18.8	21.6	0.0	12.5	0.0
テレビ朝日	16.7	15.0	25.0	25.0	22.9	22.2	28.6	8.3	18.9	0.0	14.3	20.6
テレビ東京	8.3	7.5	6.3	0.0	6.3	11.1	7.1	4.2	10.8	0.0	3.6	5.9
その他	0.0	2.5	0.0	6.3	2.1	0.0	14.3	2.1	5.4	11.1	1.8	5.9
夜にテレビは見ない	0.0	0.0	4.2	6.3	4.2	8.3	0.0	4.2	0.0	0.0	1.8	0.0

資料：カルチャースタディーズ研究所+（株）イー・ファルコン「欲求調査」

表6-4　男性・世代別　支持政党

(%)

	団塊ジュニア世代			新人類世代			団塊世代			昭和ヒトケタ世代		
	上	中	下	上	中	下	上	中	下	上	中	下
n	12	40	48	16	48	36	14	48	37	9	56	34
自由民主党	8.3	15.0	18.8	25.0	12.5	30.6	21.4	16.7	13.5	66.7	44.6	35.3
民主党	16.7	12.5	18.8	25.0	14.6	11.1	21.4	31.3	21.6	33.3	32.1	26.5
公明党	0.0	5.0	2.1	6.3	2.1	13.9	7.1	4.2	2.7	0.0	3.6	2.9
日本共産党	0.0	0.0	0.0	0.0	0.0	0.0	14.3	2.1	5.4	0.0	7.1	5.9
社会民主党	0.0	2.5	0.0	0.0	4.2	2.8	7.1	4.2	13.5	0.0	7.1	5.9
その他	0.0	0.0	0.0	0.0	0.0	0.0	0.0	0.0	0.0	0.0	0.0	0.0
特に支持している政党はない	75.0	67.5	60.4	50.0	70.8	52.8	35.7	50.0	51.4	0.0	23.2	35.3

資料：カルチャースタディーズ研究所+(株)イー・ファルコン「欲求調査」

また「夜の番組全般でよく見るテレビ局」は、「上」はフジテレビが33・3%、NHKが25・0%だが、「中」はフジテレビが55・0%、「下」は33・3%である。

ちなみに昭和ヒトケタ世代は階層意識にかかわらず朝も夜も男女ともNHKを見る者が多い。それに比べると、団塊ジュニアは階層意識が高くないとNHKを見ないのだから、視聴率が低下するのは当然である。

さて、次に支持政党を見ると、団塊ジュニア男性の「下」では自民党が18・8%、民主党も18・8%と、支持政党を表明する傾向が強い。

逆に「上」では自民党が8・3%、民主党が16・7%であり、支持政党なしが75・0%

表6-5 団塊ジュニア男性 階層意識別
幸せを感じるときは、どんなときか(主な項目)

(%)

	上	中	下
n	12	40	48
おいしいものを食べたとき	83.3	55.0	56.3
家族でいるとき	58.3	37.5	20.8
仲のよい友達といるとき	41.7	17.5	29.2
子供といるとき	33.3	20.0	6.3
妻と二人でいるとき	33.3	30.0	4.2
体をめいっぱい動かしたとき	41.7	27.5	10.4
ゆっくり休んでいるとき	58.3	55.0	66.7
ひとりでいるとき	8.3	17.5	27.1

資料:カルチャースタディーズ研究所+(株)イー・ファルコン「欲求調査」

と「中」や「下」よりも多い(表6-4)。

このように、今回の調査結果に関する限り、団塊ジュニア男性の「下」は政治意識が強く、フジテレビが好きで、スポーツ観戦が好きということになる。

これはある意味で、非常に現代的な風景、つまりまさに香山リカのいう、「ぷちナショナリズム」的な風景であるとも解釈できるだろう。

幸せを感じるとき

また、「あなたが幸せを感じるとき」を選択肢から選んでもらったところ、団塊ジュニア男性の「上」では、おいしいものを食べたとき、家族でいるとき、仲のよい友達といる

表6-6　団塊ジュニア女性　階層意識別
幸せを感じるときは、どんなときか（主な項目）

（%）

	上	中	下
n	17	52	31
おいしいものを食べたとき	94.1	75.0	77.4
感動したとき	64.7	55.8	45.2
ゆとりがあるとき	64.7	59.6	48.4
欲しいものを手に入れたとき	64.7	55.8	54.8
何かをやり遂げたとき	58.8	51.9	51.6
夫と二人でいるとき	58.8	42.3	22.6
仲のよい友達といるとき	52.9	34.6	35.5
新しい知識を身につけたとき	41.2	30.8	22.6
良心的なことをしたとき	41.2	36.5	22.6
社会に役立ったとき	41.2	7.7	9.7
おしゃれをしたとき	35.3	21.2	19.4
自己表現できたとき	29.4	15.4	16.1
ひとりでいるとき	17.6	19.2	25.8

資料：カルチャースタディーズ研究所＋（株）イー・ファルコン「欲求調査」

ときなどが多いが、「下」は、ひとりでいるとき、ゆっくり休んでいるときが多く、体をめいっぱい動かしたときが少ないなど、やはりオタク的な非活動性が特徴である（表6-5）。

他方、団塊ジュニア女性の「上」は、おいしいものを食べたときの他、感動したとき、新しい知識を身につけたとき、社会に役立ったとき、自己表現できたときなどに幸せを感じる傾向がある（表6-6）。これは男性には見られない価値観であり、私のこれまでの調査研究経験から見て、団塊ジュニアの女性に特に特徴的な傾向であると言える。

また団塊ジュニア女性の「下」では、男性同様、ひとりでいるときが高い。

表6-7　団塊ジュニア男性　買い物によく行く店（主な項目）

（%）

	上	中	下
n	12	40	48
無印良品	25.0	25.0	16.7
ユニクロ	50.0	40.0	41.7
マツモトキヨシ	25.0	37.5	25.0
ツタヤ	16.7	32.5	37.5

資料：カルチャースタディーズ研究所+（株）イー・ファルコン「欲求調査」

表6-8　団塊ジュニア女性　買い物によく行く店（主な項目）

（%）

	上	中	下
n	17	52	31
無印良品	47.1	42.3	38.7
ユニクロ	47.1	42.3	38.7
フランフラン	11.8	28.8	9.7
ツタヤ	11.8	42.3	12.9
セブン-イレブン	35.3	75.0	58.1
ローソン	29.4	46.2	35.5
ファミリーマート	29.4	46.2	35.5
ドンキホーテ	23.5	30.8	29.0
マツモトキヨシ	23.5	44.2	45.2
ampm	17.8	19.2	32.3
ミニストップ	11.8	11.5	25.8

資料：カルチャースタディーズ研究所+（株）イー・ファルコン「欲求調査」

団塊ジュニアは「上」でもユニクロや無印が好き

次に、ファッションなどを売る店について団塊ジュニアの階層意識別の支持率を見てみる。男性が買い物によく行く店は、飲食店と同様それほど階層差はない。ただし統計学的にはあまり意味がない差だが、それでもユニクロが「上」で多いのが興味深い。所得が高いはずの「上」でも、ユニクロが好きなのだ（表6-7）。

女性は男性と比べるとやはり階層差が少し出やすい。「上」でやや多いのは無印良品だけである（表6-8）。これはいかにも団塊ジュニアらしい傾向である。

言うまでもなく、無印良品は高級品ではない。むしろ低価格品である。特に品質が高いわけでもない。しかしほどよくセンスがよい。だから生活の中で邪魔にならない。

団塊ジュニア女性の特に「上」は、後に見るように、知性志向、上品志向がやや強い人たちである。そういう彼女たちは、けばけばしい装飾性や、これみよがしのブランド性よりも、無印のようなさりげないデザインを好むのであろう。

表６-９　団塊ジュニア男性　普段の買い物のしかたや考え方
「あてはまる」と「ややあてはまる」の合計（主な項目）

（％）

	上	中	下
n	12	40	48
普段買い物をする時間はほとんどない	41.7	35.0	29.2
限定ものに弱く、思わず飛びつく	25.0	37.5	18.8
安価な商品があると、必要以上に購入してしまうことがよくある	33.3	50.0	39.6
買い物をすることが大好き	33.3	50.0	54.2
通販で買い物をするのが好き	50.0	47.5	18.8
インターネット通販をよく利用する	58.3	62.5	37.5
どうしても必要なもの以外は買わない	41.6	17.5	33.3
買い物をするときはお店で実際に見て買いたい	92.6	57.5	72.9
商品を選ぶときは、情報収集に時間や労力をかける	75.0	75.0	75.0
商品の機能や性能など細かいところまでチェックしている	75.0	75.0	70.8
本当に気に入ったものは価格にこだわらずに手に入れる方だ	58.3	55.0	48.0
物を買うときは年齢、地位、役職にふさわしいものを買う	33.3	5.0	18.8
値段が高いものはやはりよいと思う	58.4	35.0	37.0
老舗のものはやはりよいと思う	41.7	22.5	25.0
ブランド、メーカーには自分なりのこだわりを持っている	16.6	40.0	47.9

資料：カルチャースタディーズ研究所＋（株）イー・ファルコン「欲求調査」

買い物好きな「下」と買い物をする暇がない「上」

次に、「普段の買い物のしかたや考え方」について、選択肢の中から「あてはまる、ややあてはまる、どちらでもない、あまりあてはまらない、あてはまらない」の5段階で選んでもらった。

これによると、団塊ジュニアの「上」の男性は買い物をすることが好きという人が少なく、限定もの、安価なものにも飛びつきにくい。買い物をするときは実際に店で見て買いたいと思っているが、そもそも買い物をする時間がないという問題もある（表6－9）。

よって通販、インターネット通販が好きである。購入前の情報収集、機能チェック、気に入ったら高くても買う傾向に階層差はないが、地位、役職、年齢にふさわしいもの、高額なもの、老舗のものを「上」は好む。しかしブランド、メーカーにはこだわりは弱い。

おそらく「上」の男性は、仕事が忙しく、新しいブランドを探す時間があまりない。そのため、伝統的によいと言われているものを選んでいると思われる。よってロレックス、オメガの所有率が高い（表6－10）。

他方、自分らしさ志向の強い「下」は、買い物が大好きが54・2％もおり、ブランド、メーカーにも自分なりのこだわりがあるが47・9％である。年収が高い方がブランドやメーカ

表６-10　団塊ジュニア男性　持っている時計で気に入っているブランド（主な項目）

（％）

	上	中	下
n	12	40	48
ロレックス	16.7	7.5	4.2
オメガ	25.0	10.0	16.7
ブルガリ	8.3	2.5	2.1

資料：カルチャースタディーズ研究所＋（株）イー・ファルコン「欲求調査」

ーにこだわりがあるという一昔前の常識とは異なる。もちろん、団塊ジュニアの「下」が好むブランドは裏原宿的なブランドである可能性も高い。

しかし、詳述はしないが、低階層はベンツ、ＢＭＷ、ロレックス、オメガといった有名ブランドにも関心が高い。よって自分なりのこだわりが、裏原宿的なマイナーなストリート系ファッションブランドにだけ向かっているというわけではない。

商品を選ぶときは、情報収集に時間や労力をかける、商品の機能や性能など細かいところまでチェックしている、本当に気に入ったものは価格にこだわらずに手に入れる方だ、については階層差はあまりない。低収入でも、

表6-11　団塊ジュニア女性　普段の買い物のしかたや考え方
「あてはまる」と「ややあてはまる」の合計（主な項目）

（%）

	上	中	下
n	17	52	31
世の中で話題になっているものは一通りチェックしている（「やや」を除く）	41.1 (23.5)	38.4 (9.6)	29.1 (9.7)
友人や家族から買い物の相談を受ける	35.4	23.1	16.2
商品を選ぶときは情報収集に時間をかける	58.8	44.2	48.4
一流ブランドのものを選ぶようにしている	23.5	9.6	6.5
ブランド品はなるべく安い店で買う	41.2	19.3	22.6

資料：カルチャースタディーズ研究所＋（株）イー・ファルコン「欲求調査」

というか、だからこそ自由時間が多いため、しっかり時間をかけて物を選んで、気に入れば価格にかかわらず買うのである。

また好きな車やウイスキー銘柄についてもあまり階層差はない。せっかく高階層で高収入な団塊ジュニアがいるのに、企業側が彼らを刺激する固有の価値を提案できていないとも言えるだろう。

他方、団塊ジュニア女性の「上」は、話題になっているものは一通りチェック、友人や家族から買い物の相談を受ける、情報収集に時間をかけるなど、消費者としても流行に敏感であり、情報の発信源になっている（表6-11）。一流ブランド志向も顕著だが、安い店で買う傾向も強く、合理的に行動している

表6-12　団塊ジュニア女性　持っている腕時計で気に入っているブランド(主な項目)

(%)

	上	中	下
n	17	52	31
ロレックス	5.9	9.6	9.7
カルティエ	5.9	9.6	9.7
ブルガリ	5.9	5.8	3.2
ティファニー	5.9	1.9	0.0
ロンジン	0.0	3.8	0.0
ショパール	0.0	0.0	3.2
オメガ	5.9	5.8	6.5
タグホイヤー	0.0	5.8	6.5
セイコー	11.8	11.5	9.7
シチズン	11.8	3.8	0.0
ラドー	0.0	1.9	3.2
G-SHOCK	5.9	13.5	16.1
その他	35.3	7.7	22.6
好きなブランドはない	35.3	42.3	35.5

資料:カルチャースタディーズ研究所+(株)イー・ファルコン「欲求調査」

女性の消費は旅行や美容に向かう

ようである。

腕時計で好きなブランドも、ロレックス、カルティエはむしろ「中」「下」の支持の方が高い。「上」のみで多いのはシチズンだけというあたりにも堅実さがうかがえる（表6-12）。

もちろん「上」の女性にはもっと多様なブランド志向があるのかも知れないが、意外に地味で堅実なのではないかとも思われる。

男性が「これからお金や時間をかけたいこと」としては、「上」では財テク・投資、家具・インテリアなどであり、健康、スポーツ・フィットネスは「中」から「上」で支持され、逆に「下」は娯楽・イベント志向である（表6-13）。これは前述した趣味の傾向とも一致する。

表6-13 団塊ジュニア男性 これからお金や時間をかけたいこと（主な項目）

（%）

	上	中	下
n	12	40	48
財テク・投資	58.3	35.0	37.5
家具・インテリア	25.0	15.0	12.5
健康	41.7	40.0	14.6
スポーツ・フィットネス	33.3	32.5	12.5
住宅・リフォーム	50.0	47.5	25.0
家電・情報機器	33.3	42.5	37.5
自動車関連	25.0	42.5	35.4
旅行・レジャー	50.0	60.0	43.8
貯蓄	25.0	40.0	41.7
教養・資格取得	16.7	32.5	35.4
娯楽・イベント	16.7	20.0	29.2

資料：カルチャースタディーズ研究所+（株）イー・ファルコン「欲求調査」

表6-14 団塊ジュニア女性 これからお金や時間をかけたいこと（主な項目）

（%）

	上	中	下
n	17	52	31
旅行・レジャー	64.7	59.6	38.7
家具・インテリア	41.2	36.5	19.4
健康	52.9	32.7	25.8
美容	41.2	25.0	12.9
財テク・投資	23.5	19.2	6.5
住宅・リフォーム	52.9	42.3	41.9
教養・資格取得	29.4	32.7	22.6
貯蓄	47.1	57.7	45.2
娯楽・イベント	23.5	26.9	35.5

資料：カルチャースタディーズ研究所+（株）イー・ファルコン「欲求調査」

女性が「これからお金や時間をかけたいこと」としては、旅行・レジャー、家具・インテリア、健康、美容、財テク・投資などが「上」で多い（表6‐14）。男女ともに、家具・インテリアと財テク・投資が多いのが特徴的である。

表6-15　団塊世代男性　階層意識別趣味（主な項目）

(%)

	上	中	下
n	12	40	48
旅行・レジャー	71.4	45.8	43.2
パソコン・インターネット	64.3	54.2	51.4
ドライブ・ツーリング	57.1	16.7	21.6
映画館での映画鑑賞	50.0	45.8	35.1
野　球	28.6	8.3	5.4
美術鑑賞	21.4	6.3	5.4
ゴルフ	35.7	45.8	16.2
ペット・観賞魚	14.3	20.8	10.8
パチンコ・競馬・競輪	7.1	20.8	16.2

資料：カルチャースタディーズ研究所＋（株）イー・ファルコン「欲求調査」

典型的トリクルダウン型消費の担い手だった団塊世代

団塊ジュニアの特徴をより明確にするために、比較として団塊世代男性のデータを見てみる。

まず趣味を見ると、団塊世代の男性が「上」ほどしている趣味は、旅行・レジャー、ドライブ・ツーリング、野球などとなっている

表6-16 団塊世代男性 階層意識別好きな車種(主な項目)

(%)

	上	中	下
n	14	48	37
クラウン	14.3	41.7	21.6
セルシオ	21.4	27.1	21.6
シーマ	7.1	25.0	5.4
スカイライン	21.4	20.8	5.4
NSX	21.4	10.4	10.8
ベンツCクラス	21.4	14.6	5.4
BMW3シリーズ	21.4	12.5	13.5

資料:カルチャースタディーズ研究所+(株)イー・ファルコン「欲求調査」

表6-17 昭和ヒトケタ世代 階層意識別好きな車種(主な項目)

(%)

	上	中	下
n	9	56	34
クラウン	55.6	26.8	20.6
セルシオ	22.2	8.9	17.6
マークII	11.1	26.8	23.5
カローラ	0.0	17.9	14.7
ベンツCクラス	11.1	8.9	11.8
BMW 3シリーズ	11.1	5.4	14.7

資料:カルチャースタディーズ研究所+(株)イー・ファルコン「欲求調査」

（表6－15）。

ドライブ・ツーリングは団塊ジュニアでは階層差がないものであり、野球は「下」ほどしているものである。つまり、団塊世代の趣味に対する価値観がジュニアでは逆転する、あるいは無意味化するという傾向が指摘できる。

また、好きなクルマでは、団塊世代の「上」ではＮＳＸ、スカイライン、ベンツ、ＢＭＷといったスポーティカーないし外車が挙がっている。こういう上昇志向の強いタイプの消費者が戦後ずっと日本の消費市場を牽引してきたのである（表6－16）。

他方、団塊の「中」が好きなクルマとしては、クラウン、セルシオ、シーマといった国産高級車が挙がっており、これらのものを手に入れることが団塊中流にとって大きな喜びであり、その上昇志向が消費を拡大する力になってきたことを裏付けている。

それと比べると昭和ヒトケタ世代は、クラウン、セルシオを好む者が「上」に多い。対して昭和ヒトケタ世代の「中」は、マークⅡ、カローラ志向が多い。つまり階層意識とクルマの格付けが比例関係にあるのである（表6－17）。

言い換えれば、団塊世代の車種選択は、昭和ヒトケタ世代では「上」が志向していたものが「中」まで降りてきた、典型的なトリクルダウン（上流から下流へ富や流行などが波及、浸透すること）型の消費だったと言うことができる。「中」がより高額・高級なものに憧れて物を買うのである。だから、売上げも利益も拡大していく。

そして団塊の「上」は、より高級な外車やスポーツカーに関心を移行する。やはり団塊世代は自動車業界にとっては非常に扱いやすいマーケットだったのである。

第7章 「下流」の性格、食生活、教育観

階層は性格できまる？

すでに述べたように、ひきこもり研究者として知られる精神科医・斎藤環は、階層格差がコミュニケーション能力の格差によって規定されていると指摘している。

「勝敗を決定づける軸の1つは、あきらかに『コミュニケーション』である。〈中略〉コミュニケーションが苦手と思いこまされてしまった子どもは、早々と自分自身を『負け組』に分類してしまう。〈中略〉この種のコミュニケーション格差がそのまま延長された果てに、『ひきこもり』のような問題が析出するといっても過言ではない」（斎藤環『「負けた」教の信者たち』）。

また、教育社会学者で東大助教授の本田由紀は、若者のライフスキル（生活上の技術）を分析する中で、「自分の意見を人に説明する」「よく知らない人と自然に会話する」というコミュニケーション・スキルが、学歴が高まるほど高まると述べている（本田由紀「社会的自立とライフスキル」内閣府『青少年の社会的自立に関する意識調査報告書』）。

「欲求調査」でも、そうした傾向はある程度裏付けられる。すでに見たように、団塊ジュニア世代の「下」では、男女ともにひとりでいることに幸せを感じる傾向が強かった。

また「あなた自身のことについて」当てはまることを聞いたところ、「上」の男性では、「最後は誰かが何とかしてくれるという気持ちがいつも自分の中にある」はゼロであり、逆に「決めたことは、即実行する」「自分の性格は明るい方だと思う」「人の好き嫌いはほとんどない」「周囲の人の態度や気持ちの動きには大変敏感である」が多めである。特に「性格は明るい方だ」に「そう思う」と答える傾向は「下」では非常に少ない（表７－１）。

つまり「上」の男性は、性格が明るく、人の好き嫌いがあまりなく、人づきあいがよく、気配りができて、実行力があり、依存心が弱いということである。逆に「下」の男性は、性格が暗めで、優柔不断で、依存心が強めだと言える。

簡単に言えば、「上」の男性は、組織のリーダー的な男らしい男性、スポーツマンタイプの男性が多く、「下」の男性は、そういうタイプが少ないのである。そういう意味で、団塊ジュニアの男性には従来のジェンダー意識が強く残っており、それに縛られているとも言える。

女性については、この質問項目について男性ほど明らかな階層差はあまりない。ただし「最後は誰かが何とかしてくれるという気持ちがいつも自分の中にある」が「上」では少ないという点が男性と共通している。また「人の能力や長所を伸ばすことができる」と「注目を集めるために、目立つ言動をとることが多い」は「上」で多い。

つまり、女性は男性と逆で、「上」の女性ほど、従来の女らしさ、ジェンダー意識を払拭《ふっしょく》しており、やや男性的で、リーダー的な性格を持っていると言える。

上流は女性らしさ、下流は自分らしさ

しかし、女性の「上」が必ずしも女性らしさを否定しているわけではない。むしろその逆である。

たとえば、「男は男らしく、女は女らしくあるべきだ」に「そう思う」「ややそう思う」と答えたのは団塊ジュニア女性の「上」では29・4%だが、「中」では21・1%、「下」では

表７-１　団塊ジュニア階層意識別
あなた自身のことについて、あてはまること（主な項目）
「そう思う」と「ややそう思う」の合計

［男　性］

（%）

	上	中	下
n	12	40	48
最後は誰かが何とかしてくれるという気持ちがいつも自分の中にある	0	17.5	20.9
決めたことは即、実行する	58.3	32.5	31.3
自分の性格は明るい方だと思う	58.4	45.0	41.7
うち「そう思う」のみ	16.7	15.0	6.3
人の好き嫌いはほとんどない	41.6	22.5	21.9
周囲の人の態度や気持ちの動きには大変敏感である	75.0	57.5	58.4

［女　性］

（%）

	上	中	下
n	17	52	31
最後は誰かが何とかしてくれるという気持ちがいつも自分の中にある	11.8	23.0	25.8
人の能力や長所を伸ばすことができる	29.4	15.3	16.1
注目を集めるために、目立つ言動をとることが多い	23.8	3.8	9.7

資料：カルチャースタディーズ研究所＋（株）イー・ファルコン「欲求調査」

16・2％である。

これを自分らしさ派と非自分らしさ派で比べると、自分らしさ派は「そう思う」「ややそう思う」が15・5％だが、「非自分らしさ派」は25・5％である。

「これからの女性は結婚しても仕事（自らの収入）を持つべきである」に「そう思う」と答えたのは「上」では5・9％だが、「中」では30・8％、「下」では25・8％である。

これも自分らしさ派と非自分らしさ派で比較すると、自分らしさ派は17・8％だが、非自分らしさ派は25・4％である。

また「結婚、出産後も、仕事と子育てを両立させたい」に「そう思う」と答えた女性は「上」では11・8％、「中」は17・3％、「下」は25・8％である。

また「独身時代は仕事に打ち込み、結婚し子供ができたら家族中心で暮らしたい」に「そう思う」「ややそう思う」と答えたのは、「上」で53・0％、「中」で44・2％、「下」で35・5％である。

他方、「結婚も仕事もあまり強い関心はない。あくまで自分らしく生きたい」に「そう思う」と答えたのは、「上」ではゼロだが、「中」では7・7％、「下」では22・6％である。

つまり「上」ほど、そして非自分らしさ派ほど従来型の男女観を持っているのである。言い換えれば、従来型の男女観、女性らしさ像に重きを置かない女性が、より強く自分らしさを志向するということである。

さらに言えば、「上」の女性は、単に従来型の男女観を肯定しているだけでなく、リーダー的な性格も併せ持っているのであり、その意味で才色兼備型の女性であることが推測される。典型的には、高学歴で、総合職で、仕事ができて、容姿も端麗な女性であり、しかし結婚後は専業主婦としてきぱきと家事と育児をこなすこともできるタイプである。

上流は社交的、下流は目立たない

「女性1次調査」でも、性格に一定の階層性があることがわかる。

「自分らしさ」を表現する言葉として「人づきあいが上手、社交的」と答えたのは、18歳〜37歳の女性の「上」では29・6％、「中」では19・5％、「下」では15・8％であった。

同様に「明るい」は、「上」では41・3％、「中」では37・4％、「下」では29・3％。また「元気な」「自分の考えをしっかり持っている」「自己主張する」「大胆」「人の先頭に立つ、リーダー的」「面倒見がよい、人を思いやる」「がんばりや」といったリーダー的な性格は「上」で多い（表7‐2）。

しかし同時に「女らしい、フェミニン」「品がよい」「セクシー」「知的」「礼儀正しい」「エレガント」といった従来の女性に求められる価値も「上」で多い。

さらに「都会的」「かっこいい」「てきぱきした」「さっそうとした」「きちんとした」「かしこい」といった仕事ができるイメージも「上」で多い。

他方、「下」で多いのは「のんびりした」「目立たない」「地味」であり、「下」で少ないのは「人の先頭に立つ、リーダー的」「女らしい、フェミニン」「品がよい」「セクシー」「知的」「都会的」「エレガント」「きちんとした」「てきぱきした」「人づきあいが上手、社交的」などである。

ぐうたらしていちゃ恋もできない

近年、総合職など、実力派ビジネスウーマンが増加してきたために、書店に行くと女性が書いたビジネス書が増えている。ブリタニカ社の営業で世界第2位の売上げを達成した和田裕美もそのひとり。彼女の最新刊『人に好かれる話し方』は12万部を売っている。その新聞広告にはこう書いてある。

表7-2 階層意識別に見た「自分らしさ」を表す言葉(主な項目)

[18〜37歳女性]

(%)

	上	中	下
n	223	867	910
個性的	41.3	32.2	33.4
大胆	18.8	10.8	11.0
自己主張する	24.7	16.7	15.9
人の先頭に立つ、リーダー的	15.7	10.1	9.0
自分の考えをしっかり持っている	46.2	36.4	32.1
面倒見がよい、人を思いやる	34.5	29.5	26.3
女らしい、フェミニン	14.3	8.4	5.8
品がよい	17.9	8.2	5.7
セクシー	8.1	3.9	3.2
明るい	41.3	37.4	29.3
元気な	36.8	29.1	24.9
知的	22.4	11.5	8.1
都会的	11.2	6.6	3.1
礼儀正しい	31.4	18.9	19.8
かっこいい	14.3	5.9	7.0
エレガント	9.9	4.3	2.4
さっそうとした	13.0	6.2	7.1
てきぱきした	22.4	16.1	13.5
きちんとした	25.6	16.1	13.6
だらしない	12.6	11.2	14.6
がんばりや	34.1	22.8	22.1
のんびりした	23.8	23.8	30.2
人づきあいが上手、社交的	29.6	19.5	15.8
さわやか	10.8	7.0	6.7
こだわりが強い	32.3	19.3	23.4
派手好き	9.4	4.8	5.4
目立たない	4.5	6.8	11.0
地味	4.9	9.3	14.7
かしこい	18.8	9.8	9.8
素直	26.9	22.4	19.8

資料:カルチャースタディーズ研究所+(株)読売広告社「女性1次調査」

「愛されキャラで人生が変わる！　上手に、自然に、あなたの気持ちを相手に伝える話し方！　共感ワードソフト、語尾トレーニング、微笑み返し作戦……これ一冊で一生トクする7つの秘訣！」

営業職のための本だが、コピーだけ読むと、彼氏をゲットするための本にも見える。逆に言えば、営業で成功できる人は、恋愛でも成功しやすいということであろう。営業も恋愛も、重要なのはコミュニケーションだからである。積極性と自己アピールだからである。自分を売り込むか、商品を売り込むかの違いでしかない。

とすれば、一定のコミュニケーション能力を身に付けた女性は、仕事でも恋愛、結婚でも自分の願いを成就する可能性が高いということになる。自分を売り込む能力の高い女性は（もちろん男性も）、就職でも恋愛でも勝利するのである。

昔のように、黙ってしおらしくしていれば、男性が声をかけてきた時代ではないからである。おとなしくお茶くみコピー取りをしていると、勝手に上司が結婚相手を捜してきてくれる時代でもないからである。自分の相手は自分で見つけて、自分で声をかけなければならない。恋愛も自己決定、自己責任の時代なのだ。ぐうたらしていちゃ恋もできないのである。

このように、女性においては、従来的な女性らしい性格を持っていると同時に、仕事がで

表7-3 階層意識別に見た意識の差(主な項目)
[18〜37歳女性]

(%)

	上	中	下
n	123	305	172
やっぱり男性にはもてたい	38.2	42.6	37.2
女性はもっと社会に目を向けるべきだ	27.6	16.7	18.6
自分の容姿にはある程度自信がある	38.2	20.3	10.5
自分の仕事の能力にはある程度自信がある	39.8	22.6	19.2
女性であることは楽しいことだ	56.9	43.9	33.7
子どもは産んだ方がよい	59.3	49.2	47.1
妊娠・出産できるのは女性の幸せの一つだ	51.2	41.6	38.4
結婚はしたくない	4.1	2.3	8.7

資料:カルチャースタディーズ研究所+(株)読売広告社「女性2次調査」

きて、リーダー的な新しい性格も両方併せ持つ人が最も上流意識を持つのであり、反対に、両方ともあまり持たない人が下流意識を持つのだと言うことができる。これはまさに現代女性の格差の大きさを示しているのではないだろうか。

色男、金と力はなかりけり、ということわざがあるが、現代の上流女性は、女らしさ(色)も、金と力の源泉となる知性もかしこさも社交性も持っているのである(三浦展『「かまやつ女」の時代』参照)。

「女性2次調査」の結果を見ても、男性にもてたいという気持ちには階層差はないのに、「上」ほど自分の容姿や仕事の能力に自信があり、女性であることや妊娠・出産を肯定的に捉えていると同時に、社会に目を向けるべきだとも考えている（表7－3）。「上」は金だけでなく、容姿も、職業能力も、出産意欲も手に入れやすいのである。

恋愛が難しい時代

また、女性総合職の増加によって、男性は男性同士だけでなく女性とも同じ基準で競争しなければならなくなっている。そのことが昔のような素朴な恋愛感情の発生を難しくし、それがひいては晩婚化、少子化を招いているとも考えられる。

先に述べたように、女性が類として差別されていたが故に平等だった時代には、もちろん男性も類として優遇されていたが故に、今よりは平等だった。また、男性と女性は、個人対個人ではなく、類対類として、要するにオスとメスとして相対することができたので、恋愛や結婚が今よりずっと簡単だった。

男性と女性が、類としてではなく、個人として向き合うようになると、必然的に恋愛は困難になる。まして結婚という長期経営事業のパートナーを捜すとなれば、相手の持っている資源を事細かに吟味する必要が生じるし、そのためには相手をよく知るためのより高度なコミュニケーション能力が必要になる。

落語の世界のように、大家さんが熊さんに、おまえもそろそろ所帯を持って、身を固めな、ついてはおまえは少し頼りないから、女房はしっかりしている方がいい、だからこいつと一緒になりな、と言われて早速翌日から夫婦生活を始めるなんてことは、現代ではとても不可能である。社会的に一定の共通性を持った男性と女性としてではなく、個人と個人として向き合うために、両者の接点を探すことから始めなければならなくなっているからである。

こうして、後に詳述するように、コミュニケーション能力が高い男女ほど結婚しやすく、仕事もでき、消費も楽しむという一方で、コミュニケーション能力の低い男女ほど結婚しにくく、一人でいることを好み、仕事にも、消費にも意欲がないという分断が生じる。つまり、男性であれ女性であれ、コミュニケーション能力という性格によって、上流と下流に分かれていくのだ。そして言うまでもなく、上流の男性は上流の女性と、下流の男性は下流の女性と結びつきやすいのである。

自分流は下流

女性としての生き方についての意識の違いは、ファッションに対する考え方に反映する。

「女性2次調査」によると、ファッションの参考として雑誌は読まないという回答は、「上」

では23・6％、「中」では28・2％だが、「下」では34・9％と、「下」ほど雑誌を読まない（「女性1次調査」でもほぼ同様の数字である）。

よって、雑誌で提案される「モテ系」だの「キレイ系」だのといったファッションの系統にも「下」ほど関心がなく、「どういう系統かはあまり考えていない」という無関心派が「上」では32・5％、「中」では39・0％、「下」では44・8％と、「下」ほど多い。

また「自分流」という人も「上」20・3％、「中」19・7％に対して、「下」は27・3％である。下流の女性は総じてファッションに関心が弱いのである。

階層意識別の食生活

また、こうした階層意識の差は、食生活の違いにも顕著に表れる。

「欲求調査」により男性がよく行く飲食店を見ると、あまり階層差はない。ただし、松屋、ガスト、ジョナサンなどにはやや「下」から「中」にかけて支持が高い傾向がある。

男性と比べて女性は階層差がはっきりしている。スタバのみ「上」の支持が多く、他の多くは「中」が支持している。

またサイゼリア、マクドナルド、ドトール、吉野家、松屋はやや「下」の支持が多い。

また、女性の「中」におけるチェーン店支持の高さは驚くほどである。これは、子供のいる女性が「中」に多いためと思われる。また「上」が、大衆的なチェーン店を意図的に拒んでいる可能性もある。

また「女性２次調査」によれば、次の項目は「下」ほど多い傾向が明らかである。

「朝食を食べないことがある」（「下」＝45・３％）
「食事時間が不規則になりがちだ」（45・９％）
「食べることが面倒くさいと思うことがある」（30・８％）
「料理をするのは面倒だ」（45・３％）
「コンビニでよく弁当を買う」（20・３％）
「食品、飲料を買う時、ドラッグストアに行く」（44・２％）
「過食や拒食の経験がある」（15・７％）
「カップ麺をよく食べる」（17・４％）
「コンビニのデザートの新製品をチェックする」（23・８％）

また、次の項目は「下」ほど少ない。

「料理をするのが好きだ」（32・0％）
「雑誌の料理の記事をよく読む」（31・4％）
「食品を選ぶとき添加物を気にする」（14・5％）
「野菜をたくさん食べるようにしている」（43・0％）
「栄養のバランスを気にしている」（36・6％）

以上のように、下流の女性は総じて食生活にも関心が弱い。料理や食事が面倒と思う傾向があり、朝食を食べなかったり、コンビニ弁当やカップ麺を食べがちだったり、添加物や栄養に関心が薄く、食生活が乱れがちであり、過食や拒食になる危険性も高いのである。

下流用カップラーメンの時代

高度成長期以前であれば、貧しい人ほど加工食品を食べなかったはずである。加工食品の方が高価だったからである。その代わり自分で作って食べた。

しかし現在は加工食品の方が安いし、自分で作るよりコンビニ、ファミレス、居酒屋に行った方が安い。よって、下流ほどそうした食産業に依存するのである。

事実、日清食品の安藤宏基社長は２００４年９月期決算発表の場で、「今後の日本人は年収７００万円以上と４００万円以下に二極化する。７００万円以上の消費者向けに高付加価値の健康志向ラーメンを、４００万円以下の消費者向けに低価格商品を開発する」と発言して話題になった。「カップヌードル」の定価は１５０円だが、２００５年秋には年収４００万円以下向けに１００～１３０円の新製品を出すと言われている。

日経ＢＰ社ホームページによれば、安藤社長にこうした決断を下させたのは、「日本の消費者は米国のように所得によって二極化する。低所得層を無視しては、これからの日本企業は成り立ちません」という丹羽宇一郎・伊藤忠商事会長（日清食品社外取締役）の言葉だったという。

日清は近年２００～３００円以上の高付加価値カップ麺で成果を上げてきたが、カップヌードルを常に１００円以下で販売するようなディスカウントストアに来る消費者が増えており、この層を無視して、将来の日清は成り立たないという判断があったという。

同じような現象は、ビールが売れず、発泡酒や「第三のビール」が売れていることからも理解できる。下流を無視しては企業も成り立たないのだ。

一方に、トヨタレクサスが狙うような富裕層があり、他方にもっと安いカップヌードルと発泡酒を求める下流がいる。それが現代の日本だ。

郊外下流クラスタ女性の暮らし

実際、「欲求調査」の結果のうち、団塊ジュニア世代と新人類世代を合わせた世代、つまり1971〜75年生まれと1961〜65年生まれについて、男女別に、価値観、幸福感、趣味などの変数によってクラスタ分析を行ったところ、女性のクラスタの中に特異なクラスタが現れた（先述した博報堂との共同研究による）。とりあえずこのクラスタを「郊外下流クラスタ女性」と名付けておく。

郊外下流クラスタ女性の階層意識は「上」9・1％、「中」36・4％、「下」54・5％とかなり低い。千葉県と埼玉県の居住者が合計63・7％であり、出現した12クラスタ中いちばん多い（平均は38・5％）。

配偶関係は既婚が90・9％。家族形態は夫婦と子供が72・7％であり、平均の53・5％よりかなり多い。職業は専業主婦が54・5％と、平均よりやや多い。つまり非常に典型的な郊外ファミリー層である。

　しかし、年収は３００万円未満が54・5％であり、平均の30％よりかなり低所得層が多い。持ち家率は63・6％と平均より高く、一戸建ての割合も63・6％と平均より高い（つまりマンションで持ち家という人が存在せず、すべて持ち家一戸建て）。

　貯蓄は１５０万円未満が45・5％と平均並み。36・4％が住宅ローンを抱えている。しかし持ち家率が63・6％なので、27・2％がローンを完済していることになる。

　学歴は大卒以上が皆無という、全クラスタの中でも特異な傾向を示している。

　出身地は一都三県が90・9％と平均の74・5％よりかなり多いので、郊外二世代目というよりも、ずっと千葉、埼玉に住んでいた家の末裔《まつえい》と思われる。

　配偶者の職業はサービス（理美容師、ウエイター、タクシー運転手など）と現業職（大工、修理工、生産工程作業員）が36・4％と他のクラスタと比べて非常に多い（平均は6・6％）。

　この郊外下流クラスタには、消費行動、特に食生活に特徴がある。

　まず、よく行く飲食店は、マクドナルド90・9％（平均67・5％、以下同）、ガスト63・6％（31・0％）、サイゼリア54・5％（40・6％）ロッテリア36・4％（9・6％）など、低価格訴求の店が上位を占める。

ふだんからよく食べるものとしては、チョコレート81・8％（56・9％）、ハンバーガー72・7％（33・5％）、アイスクリーム72・7％（49・7％）、ポテトチップス63・6％（37・1％）、あられ・おせんべい63・6％（42・1％）、ピザ54・5％（21・8％）、中華まん54・5％（22・8％）、のど飴54・5％（28・9％）、ビスケット・クッキー45・5％（29・4％）などとなっており、他のクラスタと比較してお菓子やファストフード類を非常によく食べていることがわかる。

また食べ物に求める条件として、「ボリューム感」が45・5％（25・9％）、「後かたづけのしやすさ」が36・4％（23・9％）と、他のクラスタよりも多めである。

そのほか、趣味では、パソコン・インターネット90・9％（67・0％）、旅行・レジャー72・7％（49・2％）、テレビゲーム63・6％（21・3％）、キャンプ・アウトドア54・5％（11・2％）、カラオケ45・5％（22・3％）、スキー36・4％（7・1％）、釣り27・3％（5・1％）、ボウリング27・3％（7・6％）、スノーボード27・3％（14・2％）などとなっており、インドア傾向もあるが、アウトドア、スポーツ的な趣味を積極的に行っている人も平均以上に存在する。

物販店でよく行く店は、セブン-イレブン90・9％（62・9％）、ローソン72・7％

（34・0％）、ユニクロ72・7％（53・3％）、マツモトキヨシ63・6％（40・6％）、ファミリーマート54・5％（36・0％）、ヤマダ電機54・5％（37・6％）、ケーヨーD2 45・5％（20・8％）、ゲオ27・3％（7・1％）となっており、各種ディスカウント店やコンビニなどをよく利用していることがわかる。

こうした消費行動の特徴に比べて、価値観にはあまり大きな特徴はなく、そもそも価値観をあまり強く持たないクラスタである。

その中でも人生観は、「人並みに生きること」がやや多く36・4％（28・4％）、「そのときそのときを楽しく生きること」が少なく18・2％（36・5％）、「将来を考えて、計画的な人生を送ること」も少なく18・2％（32・0％）となっており、現在志向も将来志向も少なく、平凡な人生を坦々と送ることを理想としているかのようである。

生活の中で大事にしていることでは、「仲間・人間関係」「個性・自分らしさ」が少なく、ともに18・2％である（38・1％、43・7％）。

幸せを感じるときとしては、「夫と二人でいるとき」ゼロ（26・4％）、「ぜいたくをしたとき」ゼロ（21・3％）、「おしゃれをしたとき」「新たな知識を身に付けたとき」「仲のよい友達といるとき」9・1％（21・8％、26・4％、27・9％）、「何かをやり遂げたとき」

18・2％（49・7％）、「自身の成長を感じたとき」18・2％（29・4％）、「感動したとき」36・4％（50・8％）と、やや孤独で無気力な傾向がある。

平均並みかそれ以上に多いのは、「おいしいものを食べたとき」72・7％（72・1％）、「子供といるとき」54・5％（34・0％）、「収入が上がったとき」45・5％（39・1％）、「ひとりでいるとき」27・3％（23・9％）などであり、「子供といるとき」は他のクラスタと比べても高めである。

理想の家族は「楽しい、明るい」が１００％（84・3％）、「健康的な」72・7％（73・1％）、「仲がよい」72・7％（76・6％）以外は、概して平均より低く、最低限の幸福だけを望んでいるように見える。

ある意味でこのクラスタは、まさに「年収３００万円時代」を楽しく生きている実例だとも言えよう。

団塊ジュニア女性の子供たちが階層社会を決定づける

最後に、子育てについて書いておく。もしこれからの日本が、もっと階層格差が拡大し、固定化する社会になるとしたら、その潮流を決定づけるのは団塊ジュニア世代の、特に女性の子供たちだと思われるからだ。

団塊ジュニアの女性たちは、生まれ落ちるやいなや、75年に国連婦人の10年が始まり、女性の権利の拡大の風潮の中で育った。そして86年に男女雇用機会均等法が施行されたとき、彼女たちは中学生くらいである。男女平等意識がすっかり身に付いている。そして四年制大学進学者が短大進学者を上回った世代でもある。

しかし、そうであるがゆえに、団塊ジュニアの女性は、同じ女性だからという理由で共同戦線を張れる世代ではない。年収１０００万円稼ぐ女性もいれば、フリーターもいるのである。格差が大きいのだ。

格差が拡大した団塊ジュニア女性が、子供を産んで育てれば、当然格差がさらに拡大する可能性がある。高収入の夫婦は、子供を早いうちから留学させるだろう。低収入の夫婦は、公立教育に甘んじるしかない。さて、その差はどうなるか。

そこで「欲求調査」から「自分の子供の将来に望むことは何ですか」という質問への回答を、団塊ジュニアと新人類世代の女性で比較しながら見てみよう（表７‐４、７‐５）。

ちなみに、未婚既婚、子供の有無によって回答傾向が変化するかと思い、未婚既婚、子供の有無別にも集計してみたが、あまり差はないので、全数で見ることにする。

また、男性については、女性ほど子供の将来に望むことが多くなく、階層性も弱いので、本論では分析の対象から外した。

上流はゆとり教育が嫌い

まず男の子について、希望が多い回答から主なものを見ると、

	団塊ジュニア世代女性	新人類世代女性
自分らしく生きること	79%	76%
個性にあった教育	63%	49%
外国語を身につける	52%	49%
手に職をつけること	49%	47%
ゆとりのある教育	29%	15%

である。

新人類女性と比較すると、団塊ジュニア女性は「個性にあった教育」「ゆとりのある教育」が多い。これは、団塊ジュニア世代は受験勉強が激しかったからではないかと思われる。

団塊ジュニアを階層意識別に見ると「外国語」は「上」では70・6％が希望、「手に職」

表7-4 団塊ジュニア女性・新人類女性の子育てについての考え方(男の子に対して)

(%)

	団塊ジュニア				新人類			
	全体	上	中	下	全体	上	中	下
n	100	17	52	31	100	13	52	35
留学	13.0	23.5	9.6	12.9	15.0	15.4	17.3	11.4
英才教育の機会	7.0	17.6	3.8	6.5	6.0	7.7	3.8	8.6
個性にあった教育	63.0	52.9	69.2	58.1	49.0	30.8	57.7	42.9
ゆとりのある教育	29.0	23.5	30.8	29.0	15.0	0.0	15.4	20.0
一流大学や一流企業に入る	8.0	17.6	5.8	6.5	9.0	15.4	9.6	5.7
公務員になること	3.0	0.0	1.9	6.5	10.0	15.4	1.9	20.0
手に職をつけること	49.0	58.8	44.2	51.6	47.0	30.8	44.2	57.1
中小企業の経営者になること	1.0	0.0	0.0	3.2	1.0	0.0	0.0	2.9
医師、弁護士、税理士になること	6.0	11.8	5.8	3.2	2.0	0.0	0.0	5.7
大学教授になること	1.0	5.9	0.0	0.0	1.0	0.0	0.0	2.9
有名になること	2.0	5.9	0.0	3.2	2.0	7.7	0.0	2.9
ボランティアや国際貢献活動	6.0	17.6	1.9	6.5	10.0	7.7	7.7	14.3
社会貢献や国際貢献活動	7.0	5.9	5.8	9.7	11.0	7.7	9.6	14.3
日本の文化や歴史への関心	20.0	29.4	15.4	22.6	17.0	23.1	15.4	17.1
西洋の文化や歴史への関心	12.0	5.9	9.6	19.4	10.0	7.7	9.6	11.4
外国語を身につける	52.0	70.6	44.2	54.8	49.0	38.5	57.7	40.0
ゴルフやテニスが趣味	5.0	5.9	3.8	6.5	7.0	0.0	13.5	0.0
ピアノやバイオリン等の楽器演奏	15.0	17.6	11.5	19.4	15.0	15.4	15.4	14.3
クラシック音楽への造詣	6.0	5.9	3.8	9.7	7.0	15.4	5.8	5.7
上品な振る舞いができる	22.0	35.3	26.9	6.5	14.0	7.7	17.3	11.4
自分らしく生きること	79.0	82.4	75.0	83.9	76.0	53.8	80.8	77.1
その他	5.0	0.0	5.8	6.5	1.0	0.0	0.0	2.9
特に望むものはない	2.0	0.0	1.9	3.2	2.0	0.0	1.9	2.9

資料:カルチャースタディーズ研究所+(株)イー・ファルコン「欲求調査」

も「上」が58・8％希望している。新人類世代では「外国語」に階層差はなく、「手に職」は「下」ほど希望しており、団塊ジュニアとは傾向が異なる。

また、数字が小さいが、階層差が大きいのは、「留学」であり、団塊ジュニアの「上」の23・5％が希望。そのほか、「英才教育」「一流大学や一流企業に入る」「医師、弁護士、税理士になる」は「上」ほど希望が多い。

新人類世代では、「留学」「英才教育」「医師、弁護士、税理士になる」に階層差はなく、「一流大学や一流企業に入る」だけが「上」で希望が多い。

また、特に際だって団塊ジュニアの「上」で多いのは「上品な振る舞いができる」であり、35・3％。「中」では26・9％いるが、「下」では6・5％しかない。しかしこれも新人類世代ではあまり階層差がない。

ちなみに「ゆとりのある教育」は「上」23・5％、「中」30・8％、「下」29・0％で、統計学的に有意とは言い難いが、やや「上」で少ない。同様に、新人類世代では、「上」ゼロ、「中」15・4％、「下」20・0％であり、ゆとり教育は両世代の「上」には希望されていないと言える。

次に女の子についての希望を見よう。主なものは、

	団塊ジュニア	新人類世代
自分らしく生きること	80%	84%
個性にあった教育	60%	50%
外国語を身につける	50%	51%
手に職をつけること	44%	51%
上品な振る舞いができること	42%	40%
ピアノやバイオリン等の楽器演奏	22%	32%

となっている。

団塊ジュニアの「上」ほど多い希望は、やはり「上品な振る舞い」であり、「上」では58・8%、「中」46・2%、「下」25・8%である。新人類世代でもやや「上」が多いが、「上」46・2%、「中」40・4%、「下」37・1%であり、階層差は大きくない。

「外国語」は団塊ジュニアも新人類世代もやや「上」で希望が高い。

また「留学」「一流大学・一流企業」「日本の文化や歴史への関心を持つ」は新人類世代の「上」でも高いが、「英才教育」「ボランティアや国際貢献活動」は団塊ジュニアの「上」の

みでやや高い。

「ゆとりのある教育」は、男子同様、団塊ジュニアでも新人類世代でも、「上」の希望が少ない。

「個性にあった教育」は団塊ジュニアでは階層差がないのに、新人類世代では「上」61・5%、「中」57・7%、「下」34・3%と、階層差がある。

「楽器演奏」は団塊ジュニアでは希望が少なく、階層差もないが、新人類世代では希望が多いうえに、「上」で46・2%が希望するなど、階層差がある。

団塊ジュニアは「個性にあった教育」「楽器演奏」で階層差がないのに、新人類世代では階層差があるのはなぜだろう。

おそらく、新人類世代は、団塊世代同様、個性的であることがよいとされた世代であり、かつ「上」ほど個性を志向する世代だからである。

事実、「生活の中で大事にすること」として「個性・自分らしさ」を選んだのは、新人類世代の「上」で61・5%、「中」で42・3%、「下」で37・1%である。

そして、新人類世代は、幼少時にピアノやバイオリン等の習い事をすることが一種のステイタスであった世代でもあるからである。

表7-5 団塊ジュニア女性・新人類女性の子育てについての考え方(女の子に対して)

(%)

	団塊ジュニア				新人類			
	全体	上	中	下	全体	上	中	下
n	100	17	52	31	100	13	52	35
留学	12.0	23.5	7.7	12.9	15.0	23.1	13.5	14.3
英才教育の機会	6.0	17.6	0.0	9.7	7.0	15.4	1.9	11.4
個性にあった教育	60.0	52.9	63.5	58.1	50.0	61.5	57.7	34.3
ゆとりのある教育	36.0	29.4	34.6	41.9	20.0	7.7	21.2	22.9
一流大学や一流企業に入る	5.0	11.8	3.8	3.2	7.0	15.4	5.8	5.7
公務員になること	3.0	0.0	1.9	6.5	5.0	7.7	0.0	11.4
手に職をつけること	44.0	41.2	42.3	48.4	51.0	69.2	46.2	51.4
中小企業の経営者になること	1.0	0.0	0.0	3.2	0.0	0.0	0.0	0.0
医師、弁護士、税理士になること	4.0	5.9	3.8	3.2	3.0	15.4	0.0	2.9
大学教授になること	0.0	0.0	0.0	0.0	0.0	0.0	0.0	0.0
有名になること	2.0	5.9	0.0	3.2	2.0	7.7	0.0	2.9
ボランティアや国際貢献活動	8.0	17.6	5.8	6.5	11.0	15.4	7.7	14.3
社会貢献や国際貢献活動	8.0	5.9	9.6	6.5	11.0	15.4	7.7	14.3
日本の文化や歴史への関心	18.0	29.4	13.5	19.4	15.0	38.5	9.6	14.3
西洋の文化や歴史への関心	10.0	5.9	7.7	16.1	13.0	15.4	7.7	20.0
外国語を身につける	50.0	64.7	42.3	54.8	51.0	61.5	53.8	42.9
ゴルフやテニスが趣味	4.0	0.0	3.8	6.5	10.0	0.0	17.3	2.9
ピアノやバイオリン等の楽器演奏	22.0	23.5	21.2	22.6	32.0	46.2	30.8	28.6
クラシック音楽への造詣	7.0	5.9	5.8	9.7	8.0	15.4	7.7	5.7
上品な振る舞いができる	42.0	58.8	46.2	25.8	40.0	46.2	40.4	37.1
自分らしく生きること	80.0	76.5	80.8	80.6	84.0	92.3	82.7	82.9
その他	4.0	0.0	5.8	3.2	3.0	7.7	1.9	2.9
特に望むものはない	2.0	0.0	1.9	3.2	3.0	0.0	1.9	5.7

資料:カルチャースタディーズ研究所+(株)イー・ファルコン「欲求調査」

しかし団塊ジュニアでは、先述したように、個性・自分らしさ志向はすでに「下」にまで普及している。楽器演奏も誰でもできるので、階層差がなくなったのであろう。

上品で国際的に通用する子供を求める上流団塊ジュニア女性

以上のように見てくると、まず特徴的なことは、団塊ジュニア女性の「上」において、男子にも女子にも「上品な振る舞い」を希望する人が多く、かつ、その階層性が新人類世代よりも強いという点である。

また、やはり男子にも女子にも「外国語」「英才教育」「ボランティア・国際貢献」を希望する人が「上」で多い傾向が、新人類世代よりも強い。

こうしたことを総合すると、団塊ジュニアの「上」の女性においては、「国際的に通用する子供」とでも言うべきものが子育てのコンセプトになっているのではないかと思われる。その傾向は「中」よりもかなり強く、「下」とは比較にならない。

ちなみに団塊ジュニアの「上」の女性は、海外留学・海外駐在の経験がある人が29・4％と非常に多い。この数字は団塊世代の男性の「上」の35・7％に次ぐ数字である。つまり、団塊ジュニアの「上」の女性は、おそらく父親の仕事の関係で海外に在住した経験のある女性、いわゆる帰国子女が多いのであり、それに加えて資格取得などを目指した海外留学経験者も多いのである。そうした経験が、「国際的に通用する子供」という子育てコンセプトを生んでいるのであろう。

それに対して、団塊ジュニアの「下」の女性の子育てコンセプトは、「手に職をつけて自分らしく生きる子供」といったところだろうか。

もちろんどちらの生き方も同じように尊い。しかし、親が下流でも子供は上流になることを望むかも知れない。そこが問題だ。

おそらく今後の若い世代ほど、階層意識の差はますます顕著になるだろう。私が大企業の知人から聞く話でも、不況の中で就職戦線を勝ち抜いてくる現在の新入社員は、たしかに学業は優秀であり、留学経験者も多く、エリート意識が強いという。しかし仕事は、ドブ板営業、夜討ち朝駆けもある。そんな泥臭い仕事がこういう秀才エリートたちにできるのか、一般大衆の気持ちがわかるのか、心配になるという。

最近の新入社員といえば、小学校「お受験」が大衆化した世代の最初の世代であろう。小さいときから「選ばれた」人たち、自分と同じ階層の人間としか付き合ったことのない若者が、社会に出てきたのだ。

親の生き方にかかわりなく、子供は自分の生き方を選択できねばならない

私の知人に、奥多摩でややヒッピーのような暮らしをしている夫婦がいる。二人とも面白い人間で、妻はとても善人だ。そして夫には才能がある。実は一流大学を出た男だ。

彼の仕事は物書きだ。たまに本を出すが、とても個性的な本だ。しかしおそらくそれほど収入はない。

そんな夫婦に最近子供ができた。当然、子供は公立教育だけを受け、塾も、公文式も何も利用しない可能性が高い。親の方は、そもそもそういうことを嫌っていると思われる。

しかし、親がヒッピーだからといって、子供もヒッピーになりたいかどうかはわからない。親がエリートだからといって、子供にエリートとなる人生を強要できないように、親が、自分らしく、マイペースで、のんびり生きたい、実際そう生きているからといって、子供にもそういう価値観、人生を押しつけていいわけではない。親は、そして行政、社会は、すべての子供にできるだけ多様な人生の選択肢を用意してやるのが義務だと私は考える。ヒッピーの子供にも将来「国際的に通用する」人間として世界で活躍する可能性を開いてやらねばならないはずである。

そう考えたとき、団塊ジュニア下流女性の「手に職をつけて自分らしく生きる子供」という子育てコンセプトが、果たしてどの程度子供の将来を見通した結果なのかが、気になるのである。あるいは、もしかすると、親自身があらかじめ、うちの子供は「国際的に通用する子供」などにはならないとあきらめている可能性もある。

だから、団塊ジュニア女性の子供が成人したとき、今まさに拡大している格差がさらに拡大し、固定化し、階層社会の現実をまざまざと見せつけられることになるのではないかと懸念されるのである。

第8章　階層による居住地の固定化が起きている?

東京の地形――山の手と下町

東京の地理の本を読むと必ず書いてあることだが、東京の地形は左手を右に向けて指を開いて置いたような形をしている。指の部分が山（台地）で、指と指の間が谷である。まず神田の北の方に東京大学のある本郷台地がある。それから豊島区にかけてが豊島段丘。その向こうが武蔵野段丘。目黒川のあたりが目黒台。その南が久が原台。そして多摩川の向こうが多摩丘陵。

このように東京は、丘と谷が入り組みながら段々と西へ行くほど高い丘陵になっていき、東の方には低地が広がるという地形になっている。

そして、この地形の特徴が、東京の住宅の発展史を規定し、かつそこに住む人間の階層と関係している。

かつて私の編集していた雑誌では「第四山の手論」という説を唱えたことがある（図8-1）。

上野の山の西郷さんというが、上野の駅の東側は低地で、そこから美術館・博物館の方に行こうとすると急な坂がある。それが上野の山である。その西に先ほどの本郷台があって、加賀百万石のお屋敷があった。この台地を「第一山の手」と名づけた。

そのあと、明治・大正時代に、山手線の内側の西半分の丘陵地にあった武家の所有地が、民間に売りに出されて、住宅地化した。それを「第二山の手」と名付けた。地名で言うと「〜山」という名前のつくところが多い。現皇后陛下がお生まれになったのは池田山。それから代官山というのもある。そして代官山には西郷山公園がある。

ところが大正末期から昭和初期にかけて、さらに西側の土地がだんだんと住宅地化していく。当時東京の人口が非常に増えていたからだが、もうひとつの理由は、関東大震災である。関東大震災によって東側の下町は完全に壊滅する。もうこんなところには住んでいられないということで、多くの人が西側の地域に移住してきたのである。

こうして、「第三山の手時代」になる。世田谷、杉並、目黒といったあたりである。その時代につくられたのが、田園調布、成城という、今や東京を、いや日本を代表する高級住宅地。荻窪とか吉祥寺などもその時代の住宅地である。雅子妃のお生まれは目黒区洗足。つまり日本のプリンセス御生誕の地はまさに第二山の手から第三山の手へと移動したのだ。

そしてさらに戦後、多摩川の西の多摩丘陵の土地が開発されるようになった。町田、八王子、多摩ニュータウン、そして横浜・川崎方面では青葉区、麻生区、港北ニュータウンなどだ。

そしてテレビドラマの「金妻」に象徴されるように、東急田園都市線沿線などは、住民の高齢化と共に次第に高級住宅化してきた。そうした現象を捉えて、これこそがこれからの新しい山の手、つまり第四の山の手だと提案したのが、第四山の手論である。

「山の手」に住む中流

山の手、下町というのは、単に地形を示すだけではなく、そこに住む人の階級とライフスタイルを示す。

山の手というのは、文字通り山の方、丘の方である。丘の上には支配階級が住む。どこの

図８-１　山の手の移動

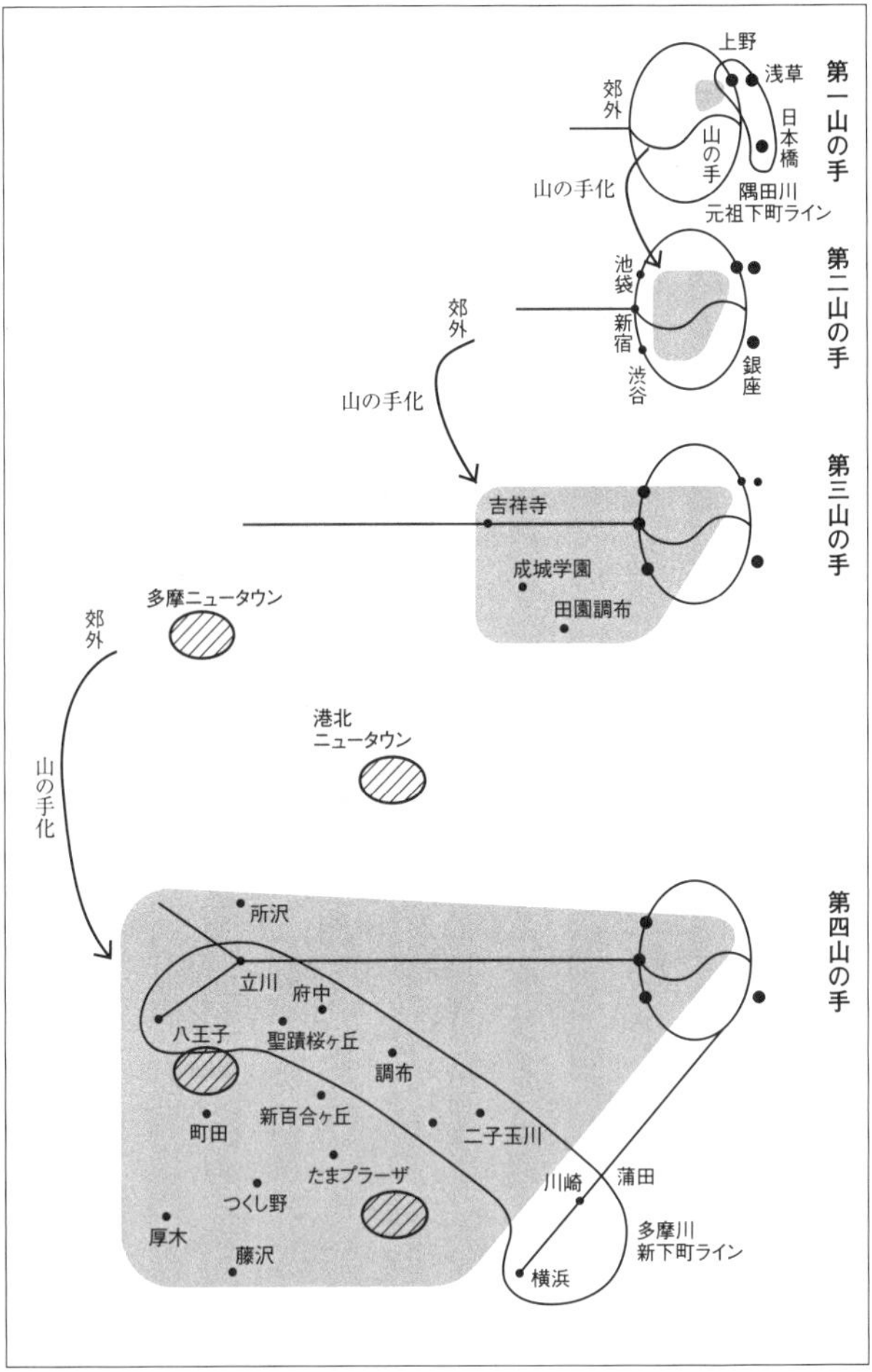

出所：アクロス編集室『東京の侵略』

国でも上流階級は高いところが好きだ。山の上、丘の上に住む。アメリカならビバリーヒルズ。パリならモンマルトルの丘。丘がなければ高層マンションを建てて、最上階に住む。六本木ヒルズも同様である。

東京では、この丘が皇居の西側に広がっていた。よって上流階級や中流階級は西側に住み、庶民は東側に住むという構造が現在までずっと維持されてきた。

軍人、学者、医者も大体山の手に住んだ。森鷗外も夏目漱石も本郷に住んでいた。図8-2は、東京帝大教授の居住地である。明治20年（1887年）に東京大教授は大学の周りに住んでいたし、結構下町にも住んでいた。それが大正12年（1923年）になると、中野、中目黒といった山手線の西側あたりに居住地が広がっている。さらに昭和18年（1943年）になるとぐっと西へ広がって、荻窪、吉祥寺、三鷹、明大前、成城、自由が丘、田園調布。まさに第三山の手に東大教授が住むようになっている。そして第三山の手には、中流サラリーマンもたくさん住むようになった。しだいに山の手が大衆化してきたのだ。

1970年代から80年代にかけての、我が国の中流社会論の重要な担い手の一人であった村上泰亮は、『新中間大衆の時代』において、中流階級とは、経済的には「豊かだとはいえないが一定の生活様式を維持しつづけるだけの所得と資産を持つ」。政治的には「選挙権を

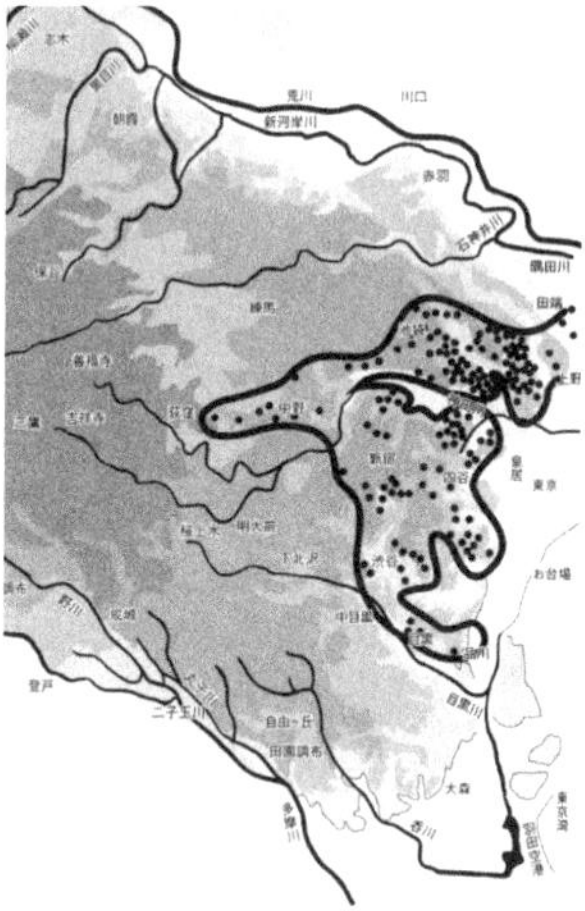

図2

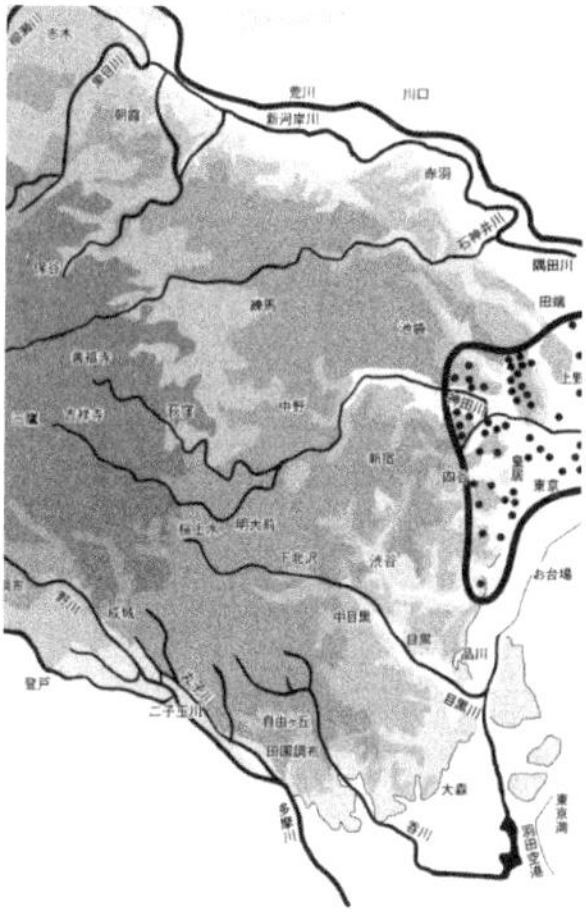

図1

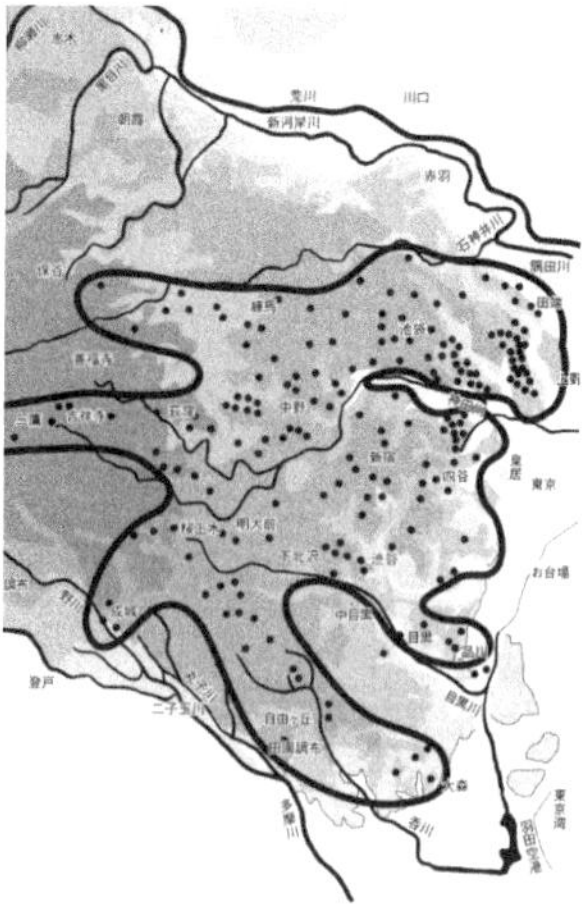

図3

図8-2　東京帝大教授自宅分布図
1887年（明治20年）右上
1923年（大正12年）左上
1943年（昭和18年）下
高田宏他「居住者分布で見た『山の手』の拡大」より。岩渕潤子・ハイライフ研究山の手文化研究会編『東京の山の手大研究』所収つねに持」ち、「行政機構、民間法人企業、地域社会で何らかの管理的役割を果す階層であ」り、「産業社会の運営管理に不可欠な情報や知識を供給し伝達する知的専門職層もこれに含」む。文化的には「何らかの高等教育をうけ」、「勤勉・節約・結婚と家族の尊重・計画性・効率性・責任感などの産業化適合的な『手段的価値』の自覚的担い手である」。すなわち「中流階級とは、資本主義の実質的な文化的リーダー層にほかならない」と定義し、「この定義は日本だけでなく、産業社会に全般にあてはまる」としている。

そしてこの中流階級の「日本での例をあげれば、戦前の東京での『山の手階級』がそれにあたる」とし、「山の手階級を構成したのは、官吏、会社員、教師、技師、医師、近代的部門での小企業主などであ」り、「大学や専門学校を卒業し、読書や新聞購読の習慣を持ち、洋風応接間のついた住宅に住み、女中を雇い、背広を着て通勤し、躾《しつけ》の様式や山の手言葉と呼ばれる話し方もようやく生まれようとしていた」と書いている。これはまさに第二から第三山の手にかけて住んでいた中流のイメージであろう。

しかし戦後、山の手は本格的に大衆化する。多摩丘陵を削ってつくった新興住宅地に、たくさんの住宅が建設された。経済の成長と共に、より多くの国民が中流の仲間入りを果たした。家電を買い、マイカーを買い、マイホームを買い、新聞を読むことで、人々は自分が中流になったと実感した。そのマイホームがあったのが郊外だ。東京郊外にマイホームを買えば、まず彼は中流階級に属していると実感することができたと言える。

東急田園都市線沿線の「上流化」

こうして、大量の人々が郊外に移り住み、みずからを中流と見なすようになった。そして、特に第2次ベビーブーム以降の世代は、生まれたときから郊外に住む中流階級として育つことになる。

しかし、階層化という観点に立つと、どの郊外で生まれ育ったかが問題になる可能性がある。

そこで先述の「欲求調査」によって、団塊ジュニアの居住地別階層意識を見てみよう（表8-1）。

サンプル数が少ないのであくまで参考値だが、男性では横浜・川崎居住者および埼玉県居住者でやや「上」が高い。女性はあまり差がないが、「中」が7割と多く、「下」が非常に少ないという意味で横浜・川崎居住者が相対的に高階層意識だと言える。よって男女共通した傾向としては、横浜・川崎居住者の階層意識がやや高いと言えそうである。

表8-1　団塊ジュニアの居住地別階層意識

（%）

		n	上	中	下
男性	23　区	30	6.7	40.0	53.3
	三多摩	9	11.1	33.3	55.6
	横浜・川崎	17	29.4	35.3	35.3
	その他神奈川	8	12.5	37.5	30.0
	埼　玉	19	27.3	45.5	27.3
	千　葉	17	5.3	63.2	31.6
女性	23　区	29	20.7	41.4	37.9
	三多摩	10	13.3	40.0	46.9
	横浜・川崎	16	20.0	73.3	6.7
	その他神奈川	9	22.2	55.6	22.2
	埼　玉	19	21.1	31.6	47.4
	千　葉	17	5.9	70.6	23.5

資料：カルチャースタディーズ研究所＋（株）イー・ファルコン「欲求調査」

「女性1次調査」では、33～37歳で見ると、かなりはっきりした傾向が見える（表8－2）。

東京23区内居住者は東側に住む者でも「上」が22・0％と多く、23区西側に住む者より「上」がわずかだが多いほどである。

ただし23区西側居住者は「下」が33・0％と少ないのに、東側は43・9％と多い。東側は「上」「下」の二極化が見られると言える。これは従来の23区東側居住者であるブルーカラー層と、近年、高層マンションに入居してきた居住者の両方が存在するためだと思われる。

23区西側と同様、横浜・川崎居住者は「下」が33～35％と少ない。「上」は8・0％と多くないが、「中」が57・3％と最も多い。「上」と「下」が少なく「中」が多いのは三多摩と

表8-2　女性33〜37歳　居住地別階層意識

(%)

	n	上	中	下
東京23区（東）	41	22.0	34.1	43.9
東京23区（西）	91	20.9	46.2	33.0
東京その他	58	3.4	55.2	41.4
横浜・川崎	75	8.0	57.3	34.7
神奈川その他	55	3.6	45.5	50.9
埼　玉	98	11.2	46.9	41.8
千　葉	82	4.9	48.8	46.3

資料：カルチャースタディーズ研究所＋（株）読売広告社「女性1次調査」

同様の傾向である。東京の西南部郊外が中流地域であることが裏付けられたと言える。

やや意外なのは、埼玉県で「上」が11・2％と多めに出ている点である。しかし、私のこれまでの調査の経験でも、埼玉県居住者の階層意識が近年上昇していると見られる傾向がある。埼玉県といっても広いので、浦和・大宮あたりに住んでいる人の階層意識は23区並みに「上」が多いのであろう。

地方出身者は「上」になりにくい

次に「欲求調査」で出身地別に階層意識を見てみる（表8-3）。

これもサンプル数が少ないので参考値だが、団塊ジュニア男性は横浜・川崎出身者で「上」

表8-3　団塊ジュニアの出身地別階層意識

(%)

		n	上	中	下
男性	23　区	21	4.8	42.9	52.4
	三多摩	9	11.1	11.1	77.8
	横浜・川崎	16	31.3	37.5	31.3
	その他神奈川	6	—	50.0	50.0
	埼　玉	13	15.4	53.8	30.8
	千　葉	10	10.0	40.0	50.0
	その他地方	25	8.0	40.0	52.0
女性	23　区	29	27.6	37.9	34.5
	三多摩	4	25.0	25.0	50.0
	横浜・川崎	11	18.2	72.7	9.1
	その他神奈川	6	16.7	66.7	16.7
	埼　玉	16	25.0	43.8	31.3
	千　葉	9	—	44.4	55.6
	その他地方	25	4.0	68.0	28.0

資料：カルチャースタディーズ研究所＋(株)イー・ファルコン「欲求調査」

が多い。横浜・川崎で生まれて、今もそこに住んでいる男性は階層意識が高いと言える。

また、23区出身者で「上」が少なく、三多摩出身者で「下」が非常に多いが、理由はわからない。

他方、団塊ジュニア女性は1都3県出身者ではほぼ2割前後が「上」なのに、地方出身者では「上」は非常に少ない。女性の場合、1都3県出身であることが、階層意識にとって有利に働いているようである。

ただし地方出身の女性は「下」が少ない。これは、地方からわざわざ女性を東京に送り出すだけの家庭は、相応の経済力を持っているからだと解釈できる。おそらく地方にいれば「上」の可能性の高い人が、東京に来ると

「中」になるのであろう。

　以上のように、総じて、東京郊外、特に横浜・川崎で生まれ育つことは、現在の団塊ジュニアの階層意識によい影響を与えていることはどうも確かである。まさに、東急田園都市線沿線を中心とする第四山の手が団塊ジュニアの上流ゾーンとなりつつあると言えよう。

都心回帰と「郊外定住時代」の始まり

　近年、都心回帰が進んでいると言われる。しかし「回帰」という言葉のニュアンスはやや実態に即していない。今都心部で増えているのは、まさに郊外世代である団塊ジュニア世代を中心とする若い層だからだ。

　まあ、もちろん、生まれたときは東京23区内だったが、すぐに郊外に引っ越したという可能性も大きいので、その意味では「回帰」だが。

　それはともかく、１９９５年から２００４年にかけて、中央区では多くの大規模マンションの建設によって、人口が７万５０００人ほどから９万１５００人ほどに増加した。このうち１９６３〜75年生まれだけで８５００人増加したのである。彼らの子供とおぼしき１９９１〜２００３年生まれも９０００人増加しているので、おおむね１万７５００人ほどの若いファミリー層が中央区で増えたのである。

同様に港区では約６０００人、江東区では１万３０００人、63～75年生まれが増加しており、その意味で団塊ジュニアを中心とした前後の世代がかなり東京都心に増えていることは間違いない。それが「勝ち組」かどうかはわからないが、まあ、比較的所得の高い層が都心に「回帰」しているとは言えるだろう。

しかし、もともと数が少ない中央区などの人口を分母にしているから、増加分が非常に目立つだけであって、郊外に生まれ育った団塊ジュニアは基本的には都心には戻ってこないと考えた方が正しいのである。

データを見ると、東京都内への転入者数と、東京都内で移動している人は１９８４年頃からずっと大体同じである。周辺の3県はこれまでは転入者数が多かったが、神奈川県では94年以後、転入者を県内移動者数が抜いている。千葉県、埼玉県も近年次第にそうなりつつある。

つまり、東京から郊外に引っ越す時代は終わって、それぞれの県の中で出たり入ったりする時代に入りつつあるということである。「郊外定住時代」の始まりである。

団塊ジュニアは83％が今後も同じ地域に住む

そのことをさらに検証するために、（株）住環境研究所の委託を受けてカルチャースタディーズ研究所が行った調査のデータを、再集計してみた。

この調査では、１都３県に住む２００３年時点で27～33歳、つまり１９７０～76年生まれ（つまりほぼ第2次ベビーブーム世代）の男女が、これから5年から10年後、つまり大体２０１０年頃にどこに住むかを聞いた。サンプル数は７００名。１都３県を14地域に区分し、その地域別のサンプリング割当をかなり精密に行ったので、信憑性の高い数字になっているはずだ。

この地域割りに基づき、そこに住む第2次ベビーブーム世代が5年から10年後にどこに住むかを予測してもらったのが表８－４である。

たとえば横浜には今現在73人住んでいるが、その中で２０１０年にも横浜に住んでいるという人は65人いるというように見る。埼玉中心、つまり浦和・大宮あたりに住んでいる人は現在49人いるが、２０１０年もそのままそこに住んでいるという人は41人いるということである。

23区中央には現在27人で、将来は29人だから2人しか増えない。しかし、実際の人口は調査サンプル数の約6000倍なので、1万2000人増える。23区中央に団塊ジュニアだけで1万2000人増えるのだから、かなりの増え方である。

しかし元々人口の少ない都心を分母とするからそう見えるのであって、郊外を分母に考えると、ほとんどの人は都心どころか県内の他地域にすら移動しないのだ。

事実、14地域平均では、今住んでいる地域に今後もやはり住んでいるだろうという人が83%もいるのである。たとえば、埼玉西南から埼玉中心に引っ越す人はゼロである。1都3県で集計し直すと、なんと90%が今住んでいる都県に住むと答えている。ほとんどの人は今住んでいるあたりにしか引っ越さないと言っているのだ。

つまり春日部の人はもう大宮には引っ越さない、狭山の人は浦和には来ない。厚木の人は横浜に来ないということである。ほとんどが今住んでいる沿線、地域に固定していくのである。

どうしてこんなに住む場所が固定化するか。団塊世代くらいまでの世代は、若いときに地方から東京などの大都市圏に移住してきた人が多い。しかし1960年代生まれくらいから、始めから大都市圏に住んでいた人が増える。なぜなら親が大都市圏に出てきて、そこで定住した世代だからだ。

表８-４　2010年頃にどこに住むか

（単位：人）

		2010年頃の居住地															
		①23区中央	②23区西地区	③23区東地区	④三多摩	⑤川崎	⑥横浜	⑦横浜・川崎外	⑧千葉中心	⑨千葉北部	⑩房総	⑪埼玉東北	⑫埼玉中心	⑬埼玉西南	⑭埼玉西北	地方・不明	総計
2003年の居住地	①23区中央	20	4	1					1				1				27
	②23区西地区	5	71	1	1	1	5	1	1			1			1	4	92
	③23区東地区		1	57					2			1	1				62
	④三多摩	2	5		62		2	1	1			1		1	1	3	79
	⑤川　崎		1	4	1	23	1		1								31
	⑥横　浜		1	1	3		65		1					1		1	73
	⑦横浜・川崎外		1	2			5	64	2	1							75
	⑧千葉中心	1	1	1	1		1		55		1	1	1			1	64
	⑨千葉北部	1		1		1	1		2	25							31
	⑩房　総										26						26
	⑪埼玉東北			1	1				1			25	3			1	32
	⑫埼玉中心		2	1		1	1		1		1		41			1	49
	⑬埼玉西南		2											31	3		36
	⑭埼玉西北												4		17	2	23
	総　計	29	89	70	69	26	81	66	68	26	28	29	51	33	22	13	700

資料：（株）住環境研究所調査資料をカルチャースタディーズ研究所が再集計

団塊ジュニアは、郊外育ちが大量化した世代である。彼らにとっては郊外が故郷なのだ。しかしそうなると、地方から東京に出て、いっちょ頑張ってやろうという気力は不要になる。郊外ならすぐ都心に出てこられるじゃないかと思うかも知れないが、小中学校がずっと郊外の公立だと、大学生になってようやく都心に出たという者は少なくない。それどころか、大学も郊外に移転しているので、大学生になっても都心にあまり出ない者も珍しくない。高卒で働く階層の人間だとますます地元を出ない。今は郊外にも洒落た百貨店やファッションビルがあるから、特段都心に出る必要はない。こうして、いわゆるジモティが誕生する。ジモティは、郊外という「村」で気楽に過ごしたいという価値観の若者であると言える。

郊外のブロック化とジモティとインターネット

しかしこれは自然にそうなったわけではなくて、国土政策上そのように誘導されてきたのだ。1985年に国土庁が「首都改造計画」を発表した。これは要するに東京都心に大変機能が集中しすぎているので、もっと郊外に分散させようという計画である。東京では立川、八王子、神奈川では横浜、川崎、埼玉では大宮、浦和。千葉県では千葉を業務核都市として発展させよう、さらに副次核都市として、厚木、平塚、横須賀、青梅、所沢、川越、東松山、熊谷、成田、柏、船橋、東金、木更津を整備しようとしたのである。

　この計画が見事に実現しつつあるのが現在であると言える。つまり所沢あたりの人は東京に出てこなくても、西武もパルコもジャスコもあるのだから、所沢で暮らせばいいじゃないかという状況になったわけである。それでも手に入らないものは、インターネットで買えばよい。

　大宮だって20年前は古い高島屋ぐらいしかなかったのが、今はルミネにそごうに色々ある。だから、実際大宮でインタビューしてみると、上尾の女子高生は大宮にしか買い物に行かないという。池袋になんて行かない。人が多すぎて嫌だというのである。厚木の人はせいぜい町田にしか来ない。新宿になんか来ない。郊外の中で、ある意味で自立・完結した状態がだんだんと進んできたのである。このように郊外育ちの若者は、地元が好きだ。まったくジモティなのである。

　また、すでに都心の就業者数は減少を始めている。他方、郊外の業務核都市周辺は就業者数が増えている。郊外に住んで都心で働くという時代から、郊外に住んで郊外の工場、流通拠点、商業施設などで働く時代に、わずかだが変わってきているのである。

　こういう郊外で生まれ育った若者は、学校も買い物も職場も郊外ですませようとする。町田や大宮や柏などの郊外の商業拠点地域が近年人気なのもそのためだ。わざわざ新宿や池袋や上野に出てこなくても、事足りるのである。

よって、今、小売業の販売額が伸びているのは郊外地域だ。図8-3は小売吸引力の伸び率を示したものである。小売吸引力というのは、ある広域的な地域の人口を分母に、その地域の小売業の総販売額を分子にしたものを100とし、その地域の中の特定の市町村の小売り吸引力がたとえば110であれば隣の市町村から客を取っているということを示し、90であれば客を取られていることを示すという指標である。

この小売吸引力の伸び率を1988年と2002年で比べてみた。すると小売吸引力が伸びている地域は、都心では千代田区、港区、渋谷区。そのほかは郊外である。吉祥寺とか世田谷とか目黒とか調布とかは、客をどんどん取られている。足立区も江戸川区も練馬区も板橋区も、客を取られている。都心と郊外の16号線沿線以遠、それから高速道路のインターチェンジのある地域が伸びているのである。

つまり、もう都心に出てこなくてもいいのである。立川には高島屋も伊勢丹もある。原宿の人気ブランド、ユナイテッドアローズも立川ルミネにある。でも吉祥寺にはない。郊外がだんだんと商業地として都心から自立し始めているのである。

図8－3　小売吸引力伸び率　1988－2002

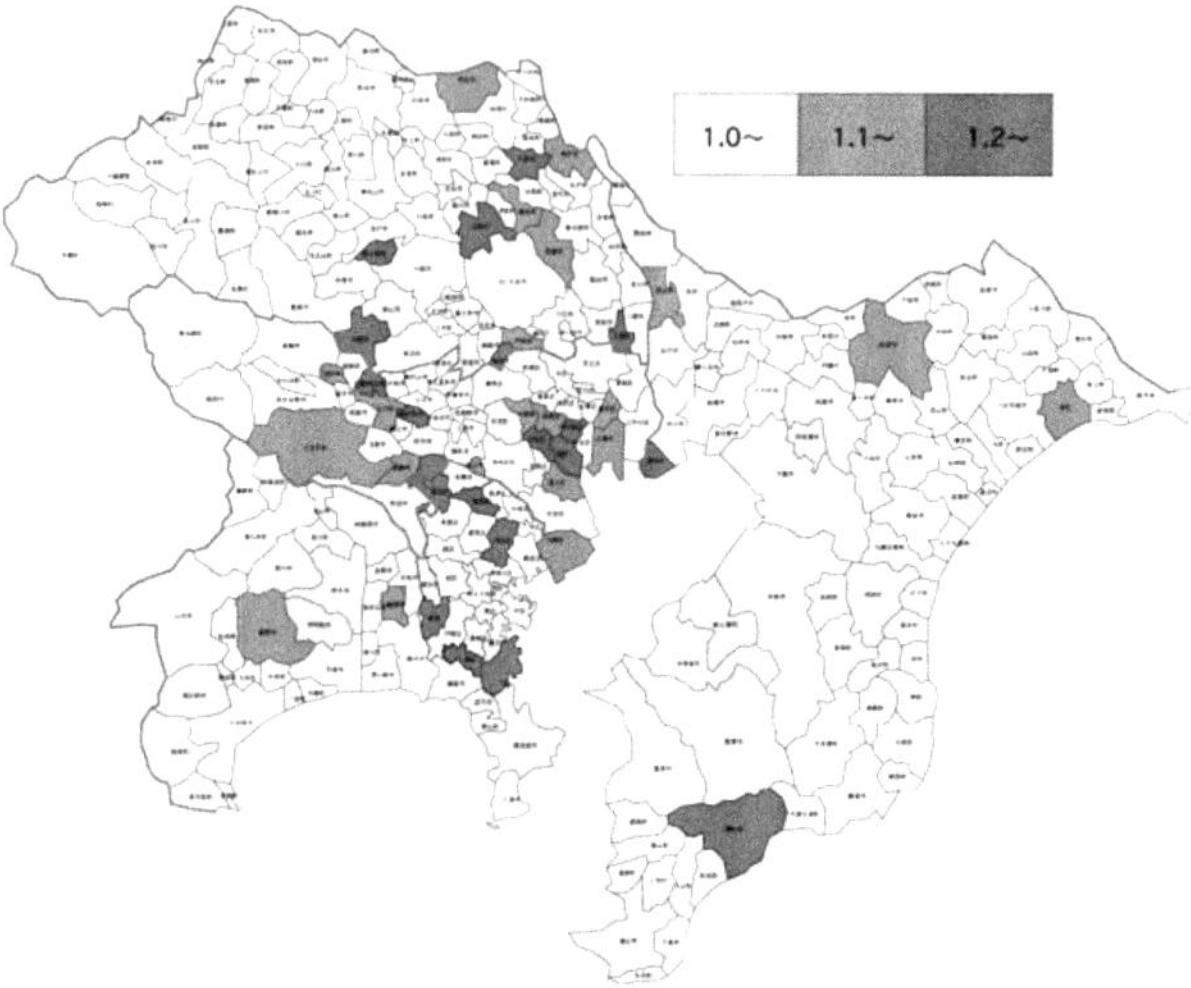

資料：経済産業省「商業統計」よりカルチャースタディーズ研究所作成

だから、春日部の人は春日部に、厚木の人は厚木に、柏の人は柏に住み続けたいと思うようになってきたのである。ある意味では、一部の「勝ち組」などだけが、一人暮らしをしに、あるいはディンクス暮らしをしに都心に引っ越してくるにすぎない。

もちろん、今後、東京都心近くの湾岸地帯に建設される大量の超高層マンションがすべて完成すれば、またどうなるかはわからない。しかし、先の住環境研究所の調査結果を見る限り、比較的マンション好きと言われる団塊ジュニアでも、やはり庭付き一戸建て志向は根強い。特に子育てをする予定の人はそうである。だから、そう簡単に郊外の団塊ジュニア人口は減らないし、生まれる子供の数を加えれば、団塊ジュニアの世帯の人口はやはり郊外を中心に増えると考えるべきであろう。

グローバル・ヴィレッジではなく、ただの「村」

それ自体は幸せなことにも見える。しかし、居住地の固定化というトレンドにはやはり階層化の問題が絡んでくるように思われる。

たとえば、郊外の安穏な暮らしに慣れてしまうと、もはやそこから脱出しようという気概を持つことがなくなる。それでも気楽に暮らせるからいいじゃんということだが、本当にいいことずくめなのか？

おそらく地元の高校を卒業して高卒で終わる階層の若者は、大学進学をする者や、中学・高校から都内の私立に通う者と比べるとはるかに地元に密着した生活をすることになる。そうなれば付き合う人間も固定化していくだろう。結婚しても親の家の近くに住むだろう。何年かすれば親の家のまわりに兄弟姉妹が何世帯か家を持って、孫もいるということになる。住む場所が固定化し、付き合う人間も固定化しているとすれば、これはマクルーハンの言うグローバル・ヴィレッジの時代というよりは、昔ながらの村に逆戻りではないか。しかも、先に見たように、団塊ジュニアの下流ほど携帯やインターネットという手軽な自己愛的おもちゃに依存している。

そうして、いつも同じ仲間とだけ会っている若者は、狭い村社会に住んでいた昔の農民とさして変わらない、いわば「新しい農民」なのではないかとすら思えるのだ。村や農民が悪いというわけではないが、そこに固定されたり、その状態に自足してしまったりするとすれば、問題であろう。

西武池袋線の学生が池袋に行かない

私が非常勤講師をしたことのある西武池袋線沿線、練馬区内にある某私立大学で、10人ほどいた学生に住所を聞いて驚いたことがある。たしか４名が埼玉県内の池袋線沿線に親とともに住んでおり、しかもそのうち２名は高校の同級生。残りは、茨城県と多摩ニュータウン。都内は江戸川区と文京区だけ。たしか神奈川県が一人いたかと記憶する。

つまり、大学にしては非常に居住地が限定されているのだ。一流大学なら全国から学生が集まる。多様性がある。

しかし二流以下の大学だと、わざわざ地方から入学してくる学生は少ないし、それどころか、各鉄道沿線に同じような偏差値の大学があるので、沿線を越えて入学してくる学生すら少ない。よって多くが同じ県内、同じ鉄道沿線から集まってくるのである。

そういえば港区と横浜市にある私立大学で学生に住所を聞いたときは、やはりほとんどが神奈川県在住だったように記憶する。

まあ、アットホームでいいではないかという見方もできるが、大学という社会勉強の場には本来もっと多様性があった方がよいのではないだろうか。東京の山の手のお坊ちゃまもいれば、地方から来た苦学生もいるという方が、社会の縮図としての大学の意味がある。

いまどき苦学生はあまりいないとしても、同じ沿線の新興住宅地に住む中流階級の学生ばかりが集まっても、大学らしい刺激があまりに不足する。

しかも驚いたことに、その練馬の大学の学生は、放課後に池袋に出かけることすら少ないというのである。自宅と大学の間を行き来しているだけだから、池袋にも行かないのである。ましてや新宿などは行ったことがないという。

私は地方出身者だからよくわかるが、私が学生時代でも、実は東京の街を歩き回りたがるのは地方出身者だった。東京の街がすべて珍しいし、東京のことを何も知らないという劣等感があるから、やたらと東京をすみずみまで歩き回るのである。

ところが、東京出身者に聞いてみると、彼らは自分の家のある沿線以外にはほとんど行かない。東横線に住んでいる者は池袋には行かないし、吉祥寺にもあまり行かないのが普通であった。

だから練馬の大学生は別に異常ではない。それが普通なのだ。

だが、しかし、やはり私としては、たまたま親が買った家の沿線にずっと住んでいて、それで満足しているだけでいいのかといぶかしく思うのである。

なぜ１９６０年代や70年代に若者文化が興隆したか。それは若者自身にパワーがあったからというわけではない。当時、地方から東京などの大都市にたくさんの若者が集まってきたからこそ、そこで異なる価値観がぶつかりあって、パワフルな文化が生まれたのだと私は考える。

「縮小した世界」に知らぬ間に築かれる「バカの壁」

そういう意味で、生まれたときから東京の郊外の同じような住宅地の同じような中流家庭に育った同じような価値観の若者が増えるということは、異なる者同士のぶつかり合いから新しい文化が生まれる可能性を縮小させていると言えるだろう。それはいわば「世界の縮小」だ。

たしかに、インターネットは遠く離れた地域と瞬時にコミュニケーションがとれ、広い世界を縮小したという意味で「世界の縮小」をもたらした。

しかし同時に、インターネットは、人間が実際に出会う他者の数をもしかすると減らす危険もあり、実際に歩き回る行動半径という意味でのリアルな世界を縮小させる面があることも否定できない。つまり、もともと狭い日常の世界がさらに縮小する危険もあるのだ。

簡単に言えば、井の中の蛙《かわず》を増やすのだ。インターネットという世界への窓（Windows!）は、使いようによっては「バカの壁」となる。それに気づかず、広い世界が狭くなったと信じ込んでいるのはバカだというのが、養老孟司が言いたいことだろう。自分と同じような人間とだけ付き合って、おれたちはみな平等だ、中流だと思っていても、いつか知らぬ間に同じ世代の中ですら拡大している格差に気がつかないという危険だってあるのだ。

アメリカの郊外消費文化を鋭く批評した映画「トゥルーマン・ショー」で主人公のトゥルーマンの乗った小舟が最後にぶつかるシーヘブンの壁もまさに「バカの壁」だ。人工的な快適な環境の中で生きている人間は、自分たちの世界に壁があり、壁の向こうに本当の世界があることに気がつかないし、気がつこうともしないのだ。

黒澤明の映画「天国と地獄」のように、下町の川べりの街から、丘の上の大邸宅を仰ぎ見て、社会の矛盾を感じ、社会を考える、そんな機会も若い時には必要であろう。

ベルリンの壁は一夜にして築かれた。しかし築かれれば、その存在に誰もが気づき、それを取り払おうとする。

しかし「バカの壁」は知らぬ間に築かれる。そして築かれても、その存在に誰も気がつかず、壁の中の快適さに耽溺《たんでき》する危険がある。「バカの壁」はまた「下流の壁」でもあるかも知れないのだ。

おわりに――下流社会化を防ぐための「機会悪平等」

「働く上流」と「踊る下流」への分裂

今日も電車に乗ると、隣に若い男が座り、早速マクドナルドをむしゃむしゃ食べ始めた。Tシャツに無精ひげのこの男は、一体何をして暮らしているのだろう？　街や駅で倒れ込んでいる若者を見ることも少なくない。それも夜じゃない。朝や昼だ。パチンコ屋の店先には早朝から若者が座り込んで開店を待っている。最近は、こういう人を見ると、もしかしてこれが噂のニートかと思う癖がついた。

彼らは、同じ世代の若者が、同じ時間にスーツを着て働いていることをどう思っているのだろう？　オレはそんな暮らしは嫌だねと思っているのだろうか。

あるいは逆に、スーツを着て働いている若者は、フリーターやニートをどう思っているのだろう？　やはり、オレはそんな暮らしは嫌だねと思っているのだろうか。それともオレもそんな暮らしをしてみたいと思っているのだろうか？

階級社会イギリスで「us and them（おれたちとあいつら）」と言えば、労働者階級と支配階級のことだ。日本でも、フリーターやニートと、大企業で働くビジネスマンが、すでに「おれたちとあいつら」のような関係になっていないとは言い切れない。

上流が下流のだらだらした生き方をどこまで許容できるかという問題が起こりつつある。上流が下流の生き方を、自分にはできない自由な生き方として憧れることがなくなり、単に自堕落で無責任な生き方として否定するかも知れない。

大文化国家か分裂国家か

自分らしさが重要だと言いながら、努力もせずにぶらぶらしている中途半端な人間が、5年、10年後、30代、40代になったとき、どうなるか、非常に問題視されている。

もちろん、30代のフリーターの増加はあくまで過渡期であり、さすがに40代になるまでには中途半端な人間は淘汰《とうた》され、最終的には本当に自分らしさを持ち、かつその自分らしさを武器に仕事をして稼ぐことができるような人が残っていく可能性も、ないことはない。そのとき、日本は、もしかすると非常に多様で豊かな大文化国家になるだろう。

ただし、生存競争に敗れた人たちが、その後、ベストを尽くして夢を追ったことへの満足感を得ながら、なんらかの定職について、下流ながらも楽しく安定した生活を営むことができるか、あるいは、山田昌弘が懸念するように、夢破れたことの敗北感にさいなまれながら無気力に生きるしかない本当の下層として社会の底辺に固まってしまうか。それが今後の日本の大きな問題であろう。

そういえばこういうことがあった。ある大企業のデザイナーや商品企画の担当者を連れて、下北沢の街を歩いたことがある。若者に人気の下北沢を歩いて、若者の気分を肌で感じようという狙いだ。

ところが、その企業のある人が突然怒り出したのだ。

下北沢という街は、店が始まるのが遅い。午前11時なら早い方で、12時とか午後1時に開店する店も多い。店員はフリーターが多いし、街に来る若者もフリーターが多い。だから、お昼時でもまだ街全体にエンジンがかからず、寝ぼけたような感じがする。

それでその人は頭に来たのだ。おれたちは毎日夜遅くまで残業しているのに、こいつらは一体何だ！　そう言って彼は途中で帰ってしまったのである。

これは単に、真面目な人と、だらしない人の対立ではない。正規職員として真面目に働く中流と、非正規職員としてだらだら生きるしかない下流の対立かも知れない。

そして、いつか、上流や中流は下流を慮《おもんぱか》ることがなくなる。ブッシュがイラクの庶民の暮らしを慮らないように。いや、アメリカの失業者層の気持ちすら慮らないように。

少数のエリートが国富を稼ぎ出し、多くの大衆は、その国富を消費し、そこそこ楽しく「歌ったり踊ったり」して暮らすことで、内需を拡大してくれればよい、というのが小泉―竹中の経済政策だ。つまり、格差拡大が前提とされているのだ。

パチンコ屋の前に座り込む男性の前をOLが颯爽と歩いていく

しかし失業率5％、若年では10％以上の状態が恒常化し、毎年4万人近くが自殺して、それでも大衆はそこそこ楽しく生きていると言えるのか？

だが国民も、格差の是正をすべきだと考える人が減っている（内閣府『国民生活選好度調査』）。むしろ格差の拡大はしかたがないと考える人が増えている。頑張っても頑張らなくても同じ「結果悪平等」社会より、頑張らない人が報われることがない格差社会の方を、国民も選択し始めているようにも見える。

階層の固定化を防ぐには？

しかし、そういう国民も階層格差の固定化は望まないだろう。親が下流だと子供も下流になるしかない社会がよいとは思われない。

そこで下流社会の基本方針として考えられるのが「機会悪平等」だ。所得の低い人ほど優遇される様々な措置である。

これまでの日本は「結果悪平等」だった。頑張っても頑張らなくても、能力があってもなくても、給料の差はあまりなかった。

私は20代のサラリーマン時代、人より非常に仕事が速かった。だから残業が少なく給料が少なかった。25歳で月の手取りが25万円ほどだったと思う。能力が低く、仕事が遅い人間は、40万円近くもらっていた。

しかも仕事の速い私は、次々と多くの責任ある仕事をこなした。28歳で雑誌の編集長になった。本来課長か部長のすべき仕事を28歳の平社員が行って、それでも給料は平社員としての給料でしかなく、しかも仕事が遅くて残業代の多い後輩よりも少なかったのだ。

これは「結果悪平等」を通り越して「結果逆差別」みたいな現象である。

こういうことはよくない、「結果不平等」型の成果配分をするべきだというのが、ここ15年ほどの成果主義の風潮である。

しかし、成果主義が徹底されればされるほど、所得格差は拡大し、長期的には階層格差が固定するはずである。となると、機会平等は実現不可能となる。

典型的なのは教育の機会。上流はよい教育を受けられるが、下流は受けられない。親が上流だと子供も上流になりやすい。逆もまた真なり。

そこで、階層格差の固定化を避けるためには何が必要か。必ず言われるのが、機会均等のさらなる徹底だ。

完全な機会均等とは、親の経済力、職業、地域社会の特性など、子供が自分で選択できない外的な環境の差から来るすべての不平等をなくすということである。親が貧乏でも、低学歴でも、地位の低い職業に就いていても、教育観が間違っていても、無気力でも、そして住んでいる地域全体がそういう人の多い地域であっても、その子供に能力があれば、どんなに高い教育でも受けることができ、どんなに地位の高い職業にも就くことができるということである。能力があっても意欲がない子供もいるだろうという反論もあり得るが、今日の教育社会学は意欲もまた階層が規定すると言っている。とすれば、完全な機会均等社会では、階層に規定された無気力は存在しないことになる。

しかし、こうした完全機会均等論は解決しがたい問題を内包している。

すなわち、もし、完全なる機会均等社会が実現したら、結果の差はすべて純粋に個人的な能力に帰せられる。しかしそれはそれで非常に過酷な社会ではないかと思えるからだ。

おまえの成績が悪いのは、親が貧乏だからでも、低学歴だからでもなく、ひとえにおまえの頭が悪いからであり、勉強や仕事に意欲を持てない性格だからなんだということになってしまう。言い訳がまったくできないのだ。

そしてそれは究極的には、頭の悪さや無気力の原因を遺伝子に求めることになり、悪しき優生思想にたどりつく危険がある。近年のテレビ番組などにおける脳ブームやＩＱブームは、そうした優生思想をオブラートにくるんだものだと言えないこともないのである。

だから、もちろん機会均等は重要なのだが、それよりも求められるのは「機会悪平等」の仕組みなのではないか。

具体的にはどんなことか？

（1）下駄履《げたば》き入試

親の階層が低い子供は学力が低い傾向があり、それは遺伝ではなく、家庭環境のためであるとするなら、大学入試で、親の所得の低い家庭の子供は合格点数を下げればよい。いわゆる「下駄を履かせる」という方法である（ついでに所得の高い親の子弟は合格点を上げてもよい）。

階層格差の拡大、固定化が問題だとおっしゃる佐藤俊樹先生や苅谷剛彦先生や橘木俊詔先生がおられる東大や京大でまずは低所得者下駄履き入試を実施してみてはいかがだろう。それが無理なら『ドラゴン桜』のように偏差値の低い中学・高校ほど指導力のある教師をたくさん送り込むべきであろう。

（2）東大学費無料化

近年国立大学の学費がどんどん上がっている。私の頃は年に2万5000円から5万円に上がっただけでも民青が大騒ぎしたものだが、今は50万円もする。国家有為の人材を育成すべき国立大学でなぜこんなことをするのか、私にはまったく理解できない。

すべての国立大学の学費を元通り安くすることができないというのなら、世に一流と言われる大学に限って、学費をただにするか、安くするべきだ。要するに東大、京大あたりから学費無料にするのである。

そうすれば、一流大学進学をあきらめている下流家庭の子供も、上京をためらっている地方の子供も、頑張って勉強をする動機付けができる。そして下駄履き入試で受験すれば、めでたく合格の可能性も広がる。

合格しさえすれば、あとは本人の努力次第。勉強をしっかりすれば大企業にも中央官庁にも就職できるだろうし、医者にも税理士にも会計士にもなるチャンスが拡大する。友人関係も広がる。階層上昇のチャンスが広がるのだ。下流の人にこそ、そういうチャンスを優先的に与えるべきだ。

もちろん、本当はすべての教育費を無料化するのが一番よいことは言うまでもない。低所得家庭は学習塾費用を非課税にしてもよい。

また、学費が高いと、大学進学を機に、親元を離れて一人暮らしをしにくくなる。結果、パラサイトが増えて若者の精神的・経済的自立が遅れる。学費無料化は若者の自立を促すのだ。

（3）大学授業インターネット化

一流大学の授業はすべてインターネットで放送し、世界中どこにいても受けられるようにする。地方在住者にとって、東京に集中している一流大学への進学は非常に生活費がかかり、そのために進学を断念せざるを得ないケースがある。インターネット授業をすれば、授業料が高くても、生活費が不要となるので、貧しい地方の貧しい家庭には朗報だ。地方の有為の人材を開拓できることは社会全体にとっても有意義だ。

（4）地方から東京へ進学した場合の資金援助

インターネット授業が広がっても、やはり東京で暮らし、友人を作ることが階層上昇のためには有利だ。だから東京での生活を支援する資金が欲しい。

そこで、地方自治体がお金を出して、優秀な人材、意欲的な人材を選び、東京への進学、生活資金を補助する。

地方から東京に行く若者を増やすことは、第8章で書いたように、都市を活性化し、ひいては日本の経済や文化を活性化するというメリットもある。

それだけでは地方にメリットがないというのであれば、逆に、東京の大学を私費で卒業した若者が地方に戻って来た場合、かかった学費を支払うという制度があってもよい。

（5）上流には「ノブレス・オブリージュ」（高貴なる者の義務）を

下流階層への悪平等的支援と共に、上流に対しては所得や地位にふさわしい義務を課すべきだ。近年の税制改革は高所得者優遇となっているが、税金ではなく、寄付の形で富を社会に還元することがもっと常識になるべきだろう。

日本経団連では90年代から「1%クラブ」という活動をしている。加盟企業が、経常利益の1%を社会貢献に使おうという活動である。

これと同じように、所得が1000万円ある人は1%を寄付する、3000万円あれば3%、5000万円あれば5%、1億円あれば10%を寄付することが上流としての高貴なる義務であり、社会的な名誉でもあり、当然だれもがそれをすべきであるという風潮をつくり出すべきであろう。

金を出す側から見ても、何に使われたかわからない税金よりも、どんな団体・個人がどんな活動をするかが透明な寄付の方がよいという側面もある。

環境関係団体の研究活動に寄付するのか、高齢者関係団体の介護活動に寄付するのか、あるいはフリーター対策関係団体の青少年教育活動に寄付するのかなどによって、寄付する人の個性も出るし、社会的な承認を得ることで満足感を得ることができるだろう。

「下流社会」を考えるための文献ガイド（著者名五十音順）

青木紀『現代日本の「見えない」貧困』明石書店　2003
今田高俊「ポストモダン時代の社会格差」『日本の階層システム　第5巻』東京大学出版会　2000
牛窪恵＋おひとりさま向上委員会『「おひとりさま」マーケット』日本経済新聞社　2004
大竹文雄『雇用問題を考える―格差拡大と日本的雇用制度―』大阪大学出版会　2001
大竹文雄『日本の不平等』日本経済新聞社　2005
太田省一『分析・現代社会―制度・身体・物語』八千代出版　1997
小倉千加子『結婚の条件』朝日新聞社　2003
小沢雅子『新「階層消費」の時代』日本経済新聞社　1985
加藤秀俊「中間文化論」1957『加藤秀俊著作集6』中央公論社　1980
香山リカ『就職がこわい』講談社　2004
香山リカ『結婚がこわい』講談社　2005
苅谷剛彦『大衆教育社会のゆくえ』中央公論社　1995
苅谷剛彦『階層化日本と教育危機―不平等再生産から意欲格差社会へ』有言堂高文社　2001
苅谷剛彦編『学力の社会学』岩波書店　2004

岸本重陳『中流の幻想』講談社　１９８５

工藤定次・斎藤環『激論！ひきこもり』ポット出版　２００１

玄田有史『仕事のなかの曖昧な不安』中央公論新社　２００１

玄田有史・中田喜文『リストラと転職のメカニズム』東洋経済新報社　２００２

玄田有史・曲沼美恵『ニート　フリーターでもなく失業者でもなく』幻冬舎　２００４

玄田有史・小杉礼子『子どもがニートになったら』日本放送出版協会　２００５

小杉礼子『フリーターという生き方』勁草書房　２００３

小杉礼子『フリーターとニート』勁草書房　２００５

小谷野敦『すばらしき愚民社会』新潮社　２００４

小谷野敦『帰ってきたもてない男』筑摩書房　２００５

齋藤貴男『機会不平等』文藝春秋　２００４

斎藤環『「負けた」教の信者たち　ニート・ひきこもり社会論』中央公論新社　２００５

佐藤俊樹『不平等社会日本』中央公論新社　２０００

佐藤俊樹『00年代の格差ゲーム』中央公論新社　２００２

鹿又伸夫『機会と結果の不平等』ミネルヴァ書房　２００１

白波瀬佐和子『少子高齢社会のみえない格差　ジェンダー・世代・階層のゆくえ』東京大学出版会　２００５

鈴木謙介『カーニヴァル化する社会』講談社　2005
スタイニー、バーバラ『ミリオネーゼになりませんか?・』ディスカバー・クリエイティブ訳　ディスカバー21　2003
諏訪哲二『オレ様化する子どもたち』中央公論新社　2005
盛山和夫他編『日本の階層システム』全6巻　東京大学出版会　2000
高橋哲哉『教育と国家』講談社　2004
高橋宏『日本の所得分配と格差』東洋経済新報社　2002
高山与志子『レイバー・デバイド　中流崩壊』日本経済新聞社　2001
橘木俊詔『日本の所得格差』岩波書店　1998
橘木俊詔『脱フリーター社会』東洋経済新報社　2004
橘木俊詔編『封印される不平等』東洋経済新報社　2004
橘木俊詔・森剛志『日本のお金持ち研究』日本経済新聞社　2005
田中勝博『2010　中流階級消失』講談社　1998
トインビー、ポリー『ハードワーク』椋田直子訳　東洋経済新報社　2005
富永健一『日本の階層構造』東京大学出版会　1979
内閣府『青少年の社会的自立に関する意識調査報告書』2005
直井優・原純輔・小林甫『リーディングス日本の社会学8　社会階層・社会移動』東京大学出版会

１９８６
中井浩一編『論争・学力崩壊』中央公論新社　２００１
中村仁『論争・中流崩壊』中央公論新社　２００１
西部邁『大衆への反逆』文藝春秋　１９８３
西部邁『大衆論』草思社　１９８４
橋本健二『現代日本の階級構造―理論・方法・計量分析―』東信堂　１９９９
橋本健二『階級社会　日本』青木書店　２００１
橋本健二『階級・ジェンダー・再生産―現代資本主義社会のメカニズム』青信堂　２００３
林信吾『しのびよるネオ階級社会〝イギリス化〟する日本の格差』平凡社　２００５
原純輔・盛山和夫『社会階層　豊かさのなかの不平等』東京大学出版会　１９９９
ひらさとる『ホタルノヒカリ』講談社　２００５
樋口美雄・太田清・家計経済研究所『女性たちの平成不況』日本経済新聞社　２００４
樋口美雄＋財務省総合政策研究所『日本の所得格差と社会階層』日本評論社　２００３
樋田大二郎他『高校生文化と進路形成の変容』学事出版　２０００
二神能基『希望のニート』東洋経済新報社　２００５
村尾泰弘編『ひきこもる若者たち』至文堂　２００５
村上泰亮『新中間大衆の時代』中央公論社　１９８４

本田由紀編『女性の就業と親子関係　母親たちの階層戦略』勁草書房　2004
本田由紀『若者と仕事』東京大学出版会　2005
丸山俊『フリーター亡国論』ダイヤモンド社　2004
三浦展『新人類、親になる！』小学館　1997
三浦展『マイホームレス・チャイルド』クラブハウス　2001
三浦展『団塊ジュニア1400万人がコア市場になる！』中経出版　2002
三浦展『「かまやつ女」の時代　女性格差社会の到来』牧野出版　2005
三浦展『仕事をしなければ、自分はみつからない。』晶文社　2005
三浦展『団塊世代を総括する』牧野出版　2005
三田紀房『ドラゴン桜』講談社　2004
宮本みち子『若者が〈社会的弱者〉に転落する』洋泉社　2002
宮本みち子『ポスト青年期と親子戦略』勁草書房　2004
森永卓郎『痛快ビンボー主義』日本経済新聞社　1999
森永卓郎『年収300万円時代を生き抜く経済学』光文社　2003
山崎正和『柔かい個人主義の誕生』中央公論社　1984
山田昌弘『パラサイト社会のゆくえ―データで読み解く日本の家族』筑摩書房　2004
山田昌弘『希望格差社会―「負け組」の絶望感が日本を引き裂く』筑摩書房　2004

労働政策研究・研修機構『若年就業支援の現状と課題』２００５
渡辺和博・タラコプロダクション『金魂巻』主婦の友社　１９８４
渡辺雅男『階級！　社会認識の概念装置』彩流社　２００４
『中央公論』２００５年４月号「学力崩壊――若者はなぜ勉強を捨てたのか」

あとがき

先日、私の娘と息子が一学期を終えて、通知表を持ってきた。二人とも、あまりよい成績ではなかった。だが、私は特に不愉快でも何でもなかった。

娘は、これまでは公立小学校に歩いて通っていたのが、春から私立中学に入り、電車通学を始めた。放課後はバスケットの練習がある。疲れているだろう。だんだん頑張ってくれればいいと思う。息子は、まだ小学校二年だ。そのうち何とかなるだろう。

私の両親は共働きだった。だから私は、小学校二年生までは、学校が終わると、自分の家にではなく、祖母のいる伯父の家に帰り、従兄と遊んでいた。

学期末に通知表を見せるのも、まず祖母にだった。成績が悪いと、祖母に、もっとしっかりしなくちゃだめじゃないかと言われたものだ。

祖母は庄屋の一人娘だった。とはいえ百姓だ。最低限の読み書きそろばん以外、何の学問もなかった。字は下手だったし、漢字は書けなかったと思う。今思い出しても、気丈で考えのしっかりした人だったが、女に学問は要らぬといわれた時代、それが普通だったのだろう。

祖母の父、つまり私の曾祖父も、学歴とは無縁の人だった。やはり最低限の読み書きそろばん以外できなかった。だが、頭がよい。村長などよりよほどしっかりしているのだが、なにしろ思うように文章も書けないので、悔しい思いをしたらしい。

そこで彼は、これからは学問がなければだめだと思い、田畑を売っては孫の教育に投資した。まさに「学問のすすめ」である。学問を身に付ければ立身出世ができた時代。階層上昇ができた時代。それが日本の近代だった。三人いた孫はみな大学や女学校を出て、教職に就いた。伯父は大学の名誉教授にまでなった。三人の孫の息子や娘たちもみな名のある大学を出た。

おかげで私は、自分や親族の学歴で悔しい思いをしたことがない。そのせいか、生来の性格なのかわからぬが、自分の子供の成績にさほど頓着がない。通知表を見て、もっとしっかりしろと言う気が起こらない。娘の中学受験にも最初から最後まで、あまり熱心になれなかった。

それでもやはり、子供に何かを与えたいと思うのは親心だ。曾祖父には、子孫のために売る土地があった。では私には何があるのか。

そう考えると、やはり、自分が大企業の管理職だった方がよかったかなとも思う。その方が子供も人に私のことを説明しやすいし、何の引け目も感じないですむ。いまどき、大企業の社員なら、家族と海外駐在することは当たり前だし、それで子供が英語に堪能になり、海外に友人ができ、世界が広がれば、その後の人生で何かと得をすることもある。そういう人生を子供に与えられないことを申し訳ないと思う。私もまた階層上昇の次の階段をうまく上れなかったのかも知れない。

階層は、上昇すればするほど次の目標が設定しにくい。かつては、学問を身に付けたいという、素朴な、しかし非常に強い目標があり得た。そして学問の有無は経済的、物質的な豊かさに直結した。

その意味で、生まれながらに経済的、物質的豊かさを享受してきた現代の若者の階層上昇志向が減衰し、ひいては働く意欲や学習意欲も減衰するのは当然だ。そんな中で、それでもハードに働く人とそうでない人とを分けるものは何なのだろう?

しかも、昔なら、階層の高い人より低い人の方が昼夜を問わずにたくさん働いていたはずだ。が、現在は、階層の高い人ほどハードに働き、低い人ほどあまり働かない。というか、そもそも職がないという状況がある。だとしたら、今もハードに働いている人は、どうして働いているのだろう?

第一の説はやはり階層である。上流に生まれた人ほど勤勉な生活態度や、社会や国家のために物を考え行動する習慣が身に付いているが、下流に生まれた人ほど怠惰に気楽に生きようとする、という説である。

第二の説は、社会学者は認めたがらないが、遺伝的な性格である。仕事が生来好きだから働く人と、嫌いだから働かない人に分かれているのだ、という考え方である。あるいは生来負けん気が強く競争好きな人は、相変わらず「よい大学」「よい会社」を求め、出世や金を求めるが、そうでない人は、特にそうしたものを求めなくなったのだとも考えられる。階層にまつわる遺伝説については小谷野敦がしばしば主張している（『すばらしき愚民社会』『帰ってきたもてない男』参照）。

ただしこの問題は大変デリケートな問題であるから、今後、社会学者が本格的な研究をされることを望む。そもそも本書で紹介した私のアンケート調査は、サンプル数が少なく、統計学的有意性に乏しいことは認めざるを得ない。したがって、見出しに「？」が多いように、本書に書かれていることの多くは仮説である。これらの仮説が今後より精緻に検証されていくことを私は望んでいるし、私自身もそれに向けて努力するつもりである。

本書の成立にあたっては、株式会社博報堂研究開発局との２００２年以来数回にわたる共同研究がひとつのベースになっている。また、一読して明らかなように2004年に株式会社イー・ファルコンと行ったマルチクライアント・プロジェクト「昭和4世代欲求比較調査」の結果を大いに活用している。

さらに、2005年に株式会社読売広告社にスポンサーになって頂いた「女性階層化調査」の結果や株式会社住環境研究所で行った調査の再集計結果も活用させて頂いた。博報堂、イー・ファルコン、読売広告社、住環境研究所の担当者およびマルチクライアント・プロジェクトに参加頂いた企業の方々に深く感謝する。

また東京学芸大学教授の山田昌弘先生、東京大学大学院助教授の佐藤俊樹先生には、階層問題について直接お話を伺う機会があり、とても参考になる勉強をさせて頂いた。

最後になったが、本書が私の予定より早く日の目を見たのは、光文社新書編集部の草薙麻友子さんが、手間のかかる資料収集や図表整理をテキパキとやってくれたおかげである。彼女の静かだが熱心な仕事ぶりは、いつも私を感心させ、励ました。改めて感謝申し上げます。

2005年8月

三浦　展

三浦展（みうらあつし）

1958年新潟県生まれ。一橋大学社会学部卒業。（株）パルコ入社。マーケティング情報誌『アクロス』編集長を経て三菱総合研究所入社。'99年、消費・都市・文化研究シンクタンク「カルチャースタディーズ研究所」設立。マーケティング活動を行うかたわら、家族、消費、都市問題などを横断する独自の「郊外社会学」を展開。社会学、家族論、青少年論、都市計画論など各方面から注目されている。主な著書に『「家族」と「幸福」の戦後史』（講談社）、『ファスト風土化する日本』（洋泉社）、『団塊世代を総括する』『「かまやつ女」の時代――女性格差社会の到来』（以上、牧野出版）、『仕事をしなければ、自分はみつからない。』（晶文社）、『マイホームレス・チャイルド』（クラブハウス）、『新人類、親になる！』（小学館）などがある。

下流社会《かりゅうしゃかい》　新《あら》たな階層《かいそう》集団《しゅうだん》の出現《しゅつげん》

2005年9月20日初版1刷発行
2006年1月25日　12刷発行

著者――三浦展
発行者――古谷俊勝
装幀――アラン・チャン
印刷所――堀内印刷
製本所――榎本製本
発行所――株式会社光文社
東京都文京区音羽1-16-6（〒112-8011）
電話――編集部03（5395）8289　販売部03（5395）8114
業務部03（5395）8125
メール――sinsyo@kobunsha.com

 ISBN 4-334-03321-0

光文社新書

204 **古典落語CDの名盤**
京須偕充
長年、圓生や志ん朝など、数多くの名人のLP、CD制作に携わってきた著者による体験的必聴盤ガイド。初心者から上級者まで、これ一冊あれば、一生「笑い」に困らない！

205 **世界一ぜいたくな子育て**
欲張り世代の各国「母親」事情
長坂道子
「なんでも手に入れたい世代」の女性達が、子供を産む時代になった。欧米諸国の今どきの母親達を取材した著者が、各文化に共通する悩みや多様な価値観などをリポートする。

206 **金融広告を読め**
どれが当たりで、どれがハズレか
吉本佳生
投資信託、外貨預金、個人向け国債……。「儲かる」「増やす」というその広告を本当に信じてもよいのか？ 63の金融広告を実際に読み解きながら、投資センスをトレーニングする。

207 **学習する組織**
現場に変化のタネをまく
高間邦男
「変わりたい」を実現するには？ 多くの企業の組織変革に関わってきた著者が、正解なき時代の組織づくりのノウハウを解説。「何をするか」ではなく、「どう進めるか」が変革のカギ！

208 **英語を学べばバカになる**
グローバル思考という妄想
薬師院仁志
英語ができれば「勝ち組に入れる」「国際人になれる」「世界の平和に貢献できる」——日本人にはびこるそんな妄想を、気鋭の社会学者がさまざまな角度から反証、そして打ち砕く。

209 **住民運動必勝マニュアル**
迷惑住民、マンション建設から巨悪まで
岩田薫
「隣の部屋の音がうるさい」「近所に変な人がいる」「すぐ近くに高層マンションが建つ」——このようなトラブルに、住民として、どう対処すべきか。その戦略と戦術を公開する。

210 **なぜあの人とは話が通じないのか？**
非・論理コミュニケーション
中西雅之
交渉決裂、会議紛糾——完璧な論理と言葉で臨んでも、自分の意見が通らないのはなぜ？ コミュニケーション学の専門家が解説する、言葉だけに頼らない説得力、交渉力、会話力。

211
リピーター医師
なぜミスを繰り返すのか？
貞友義典

勉強もしない、反省もしない、誰もそのミスを咎めない——。医療過誤を繰り返す医師が放置されている日本の現状を、医療事件を数多く手掛ける弁護士が報告。問題の本質を探る。

212
世界一旨い日本酒
熟成と燗で飲《や》る本物の酒
古川修

燗して旨く、熟成して旨い、本当にいい造りの日本酒の世界を紹介。地酒ブームの遥か以前、神亀酒造、甲州屋、味里の三人の男が出会い、古くて新しい日本酒の流れを生んだ。

213
日本とドイツ　二つの戦後思想
仲正昌樹

国際軍事裁判と占領統治に始まった戦後において、二つの敗戦国は「過去の清算」とどう向き合ってきたのか？　両国の似て非なる六十年をたどる、誰も書かなかった比較思想史。

214
地球の内部で何が起こっているのか？
平朝彦　徐垣
末廣潔　木下肇

なぜ巨大地震は起こるのか？　地球の生命はどのように誕生したのか？　いま、地球深部探査船によってその謎が解かれようとしている。地球科学の最先端の見取り図を示す入門書。

215
現代建築のパースペクティブ
日本のポスト・ポストモダンを見て歩く
五十嵐太郎

キーワードは透明感と無重力——巨大インテリジェントビルから個人の住居に至るまで、ポストモダン以降の日本の建築の見方・愉しみ方を、気鋭の建築学者が提案する。

216
沖縄・奄美《島旅》紀行
斎藤潤

沖縄と奄美は、日本ではない。少なくとも、文化的には。ぼくは、そう確信している——。ガイドブックでは触れない南島の秘める多様な魅力を、その素顔を通して伝える。

217
名門高校人脈
鈴木隆祐

日本全国から歴史と伝統、高い進学実績を誇る名門約三〇〇校を厳選。校風、輩出した著名人約一七〇〇人を取り上げ、その高校の魅力と実力を探っていく。